MULHER DO REINO

TONY EVANS
CHRYSTAL EVANS HURST

MULHER DO REINO

SEU PROPÓSITO
SEU PODER
SUAS POSSIBILIDADES

Traduzido por MARIA EMÍLIA DE OLIVEIRA

Copyright © 2013 por Tony Evans e Chrystal Evans Hurst
Publicado originalmente por Tyndale House Publishers, Inc., Carol Stream, Illinois, EUA.

Os textos das referências bíblicas foram extraídos da *Nova Versão Internacional* (NVI), da Biblica Inc., salvo indicação específica. Eventuais destaques nos textos bíblicos e citações em geral referem-se a grifo da autora.

Todos os direitos reservados e protegidos pela Lei 9.610, de 19/02/1998.

É expressamente proibida a reprodução total ou parcial deste livro, por quaisquer meios (eletrônicos, mecânicos, fotográficos, gravação e outros), sem prévia autorização, por escrito, da editora.

CIP-Brasil. Catalogação-na-publicação
Sindicato Nacional dos Editores de Livros, RJ

E93m

    Evans, Anthony T.

    Mulher do reino: seu propósito, seu poder, suas possibilidades / Anthony T. Evans, Chrystal Evans Hurst; tradução Maria Emília de Oliveira. - 1. ed. - São Paulo: Mundo Cristão, 2017.
    256 p. ; 21 cm.

    Tradução de: Kingdom woman: embracing your purpose, power, and possibilities
    ISBN 978-85-433-0159-4

    1. Vida cristã. 2. Deus. I. Hurst, Chrystal Evans. II. Oliveira, Maria Emília de . III. Título.

16-33851   CDD: 248.4
                                                                        CDU: 27-584

Categoria: Inspiração

Publicado no Brasil com todos os direitos reservados por:
Editora Mundo Cristão
Rua Antônio Carlos Tacconi, 69, São Paulo, SP, Brasil, CEP 04810-020
Telefone: (11) 2127-4147
www.mundocristao.com.br

1ª edição: maio de 2017
5ª reimpressão: 2022

Há quatro gerações de mulheres vivas em nossa família.
Este livro é dedicado às mais novas:
Kariss,
Jessica,
Kelsey,
que estão se tornando mulheres do reino.

Sumário

Agradecimentos   9
Prefácio   13
Introdução: A importância da mulher do reino   17

PARTE 1: O FUNDAMENTO DA MULHER DO REINO – PROPÓSITO
1. Uma mulher valorosa   37
2. Uma mulher esperançosa   53
3. Uma mulher excelente   69
4. Uma mulher comprometida   83

PARTE 2: A FÉ PROFESSADA PELA MULHER DO REINO – PODER
5. O poder da fé professada pela mulher do reino   103
6. A busca da fé professada pela mulher do reino   121
7. As possibilidades da fé professada pela mulher do reino   135
8. A oração de fé proferida pela mulher do reino   153

PARTE 3: O FRUTO DA MULHER DO REINO – POSSIBILIDADES
9. A mulher do reino e sua vida pessoal   175
10. A mulher do reino e sua vida familiar   195

11. A mulher do reino e sua igreja   213
12. A mulher do reino e sua comunidade   235

Notas   249

Agradecimentos

Nunca imaginei uma vida assim, transbordando de tanta generosidade — algo com que homem algum seria capaz de lidar sozinho. Contudo, o equilíbrio vem da delicadeza que encontro em você, Lois. Nenhum livro deste mundo, ainda que contivesse a história mais sensacional já conhecida, poderia descrever a afeição e o apreço que sinto por você. Tudo de bom que consegui realizar até hoje foi por sua causa. O que mais posso dizer, a não ser muito obrigado?

Chrystal, eu era um jovem de 22 anos, sem nenhuma experiência, quando fixei o olhar em você pela primeira vez. Eu andava freneticamente de um lado para o outro na sala de espera quando o médico entrou por aquela porta dupla e me contou que você estava ali. Quando a vi, tive certeza de que nunca mais seria o mesmo.

Jamais imaginei que, quarenta anos depois, você e eu nos sentaríamos juntos, com uma caneta na mão, para escrever um livro impactante para a vida de mulheres de todos os lugares. Que bênção você foi para este projeto! Que bênção você tem sido para mim!

Pessoal da Tyndale e do ministério Focus on the Family [Foco na família]: é difícil demais encontrar editores que se equilibram com maestria sobre a linha tênue que divide o ministério e os negócios. Encontrei isso em vocês. Foi uma alegria tê-los como parceiros neste livro. Mal posso esperar para que isso volte a acontecer em breve.

TONY EVANS

Papai, obrigada por seu cutucão carinhoso em direção ao chamado de Deus para minha vida. Você sempre me vê mais capaz do que consigo imaginar.

Mamãe, nunca conheci um exemplo de vida melhor que o seu, exibido bem diante de meus olhos, todos os dias, nos melhores e nos piores momentos. Grande parte do que sei sobre ser uma mulher do reino aprendi observando seu comportamento.

Kariss e Jessica, não fosse a disposição de vocês em me ajudar a preparar as refeições, lavar a louça e cuidar de seus irmãos, eu não teria tido tempo para escrever. Vocês não são apenas minhas filhas; são minhas amigas.

Silla, não há um só dia em que eu não seja grata por você ser minha irmãzinha, a única em minha vida. Sei que nem sempre demonstro, mas fico feliz quando você chega à minha casa e entra pela porta dos fundos sem bater. Você sempre tem palavras maravilhosas para me dizer, tanto verbais como escritas. Obrigada por permitir que eu aprenda com você.

Muito obrigada a Kanika, Michelle e Wynter, que sempre me emprestam seu enorme conhecimento e me garantem acesso à sua clareza de visão e criatividade. Agradeço cada resposta aos meus incessantes *e-mails*, mensagens de texto e telefonemas.

Sally Clarkson e Zan Tyler, suas palavras de incentivo estão sempre repercutindo em minha mente. Suas palavras de afirmação regaram as sementes adormecidas e me fizeram lembrar quem sou.

Andrea, você entende minha vida: cuidados com a casa e educação doméstica de filhos que, além de tudo, são garotos bastante famintos. Por isso, suas reflexões são tão importantes para mim. Um dia teremos mais tempo para dar um passeio com nossa turma!

Focus on the Family e Tyndale House Publishers, obrigada pela oportunidade de trabalhar em um projeto com meu pai.

E por último, mas certamente não menos importante, a meu marido, Jessie, meu homem do reino. Graças a você tenho a liberdade de encontrar meu caminho e tentar coisas novas. Seu grande e constante amor por essa esposa maluca que Deus lhe deu faz meu coração derreter — cada vez mais.

Chrystal Hurst

Prefácio

Algumas mulheres deram um suspiro de hesitação quando lhes falamos a respeito deste livro. A ideia de outro manual para apontar seus erros e dar-lhes instruções sobre como mudar não lhes pareceu agradável. A simples menção de *mulher do reino* evocou uma imagem idealista, algo que no mesmo instante se tornou um peso nos ombros. Talvez, sinceramente, você se sinta da mesma forma — um pouco cansada de ver dedos em riste diante de seu rosto, exigindo que seja mais eficiente —, sobretudo quando já está fazendo o melhor que pode.

Nós compreendemos. Confie em nós: compreendemos você, e é por isso que estamos alegres por você ter aberto este livro.

Esta obra, muito semelhante a seu par *Kingdom Man* [Homem do reino], é diferente das outras que você leu. Ela não lhe fornecerá informações para depois abandoná-la, deixando-a com um sentimento de condenação e culpa. Cada capítulo não apenas a encorajará e aplaudirá como também lhe mostrará, de modo teológico e prático, como ter uma fé que aponta o caminho para o milagre que você aguarda — o milagre que anseia ver acontecer em sua família, igreja ou comunidade. Este material lhe entregará uma espada e a incentivará a empunhá-la diante da adversidade em vez de encolher-se em acomodação ou mesmo em desespero. Depois de mergulhar nestas páginas, você se sentirá encorajada e fortalecida para percorrer a jornada à sua frente.

A fusão de duas mensagens únicas em um pacote sucinto e singular exige a experiência de duas pessoas que percorreram a vida juntas. As duplas marido/pai e filha/irmã são responsáveis por esta façanha. Com a perspectiva sincera, autêntica e realista de Chrystal ressaltando os ensinamentos de Tony inspirados na Bíblia, a leitura deste livro lhe abrirá os olhos, proporcionando-lhe uma esclarecedora aventura ao longo das Escrituras — com destino ao seu próprio coração.

Chrystal é novata no cenário editorial, mas ela brilha no ministério feminino de nossa igreja e, pessoalmente, em nossa vida. Faz anos que ela dirige as senhoras de nossa congregação, treinando-as para ser mulheres com um propósito firme, preparadas para aproveitar todo o seu potencial. Neste meio cristão repleto de gente que luta para estar sob a luz dos holofotes e diante de um microfone, Chrystal conquistou um lugar respeitável na igreja local. Vale a pena falar disso. Sua capacidade de atrair e entusiasmar uma plateia é impressionante, mas é sua admirável fidelidade no discipulado individual de mulheres que tem inspirado outras pessoas a fazer o mesmo.

E ainda mais importante: Chrystal consegue manter suas prioridades no lugar, estruturando tempo e esforços a fim de que seu foco esteja, acima de tudo, em sua família. Sinceramente, não sabemos como Chrystal consegue isso, e ela nos surpreende todos os dias. Como mãe e educadora de cinco filhos, ela conhece bem o malabarismo a que milhões de mulheres do mundo inteiro se submetem e demonstra o que significa honrar a Deus como esposa e mãe. Para coroar tudo isso, ela ainda faz um pão de abóbora que nos enche a boca de água.

Entre as tarefas de lavar pratos, preparar aulas e viajar de vez em quando, Chrystal consegue encontrar tempo para atualizar seu *blog* com reflexões e acontecimentos da vida que atraem a atenção das mulheres. O tesouro que você descobrirá neste texto origina-se não apenas dos ensinamentos de Tony, mas também da história da vida de Chrystal. Seu relacionamento profundo e vibrante com Jesus é observado em cada palavra, e sua vulnerabilidade e senso de humor atrairão sua atenção. Você se verá na vida dela. Rirá de suas histórias e notará a verdade bíblica que ela deseja compartilhar. Chrystal é agradavelmente despretensiosa. Não perfeita, mas cheia de propósito. Você não se sentirá pressionada a imitá-la, mas desejará andar ao lado dela.

Provavelmente, Tony não necessita de apresentação. Escreveu mais de sessenta livros; portanto, o que você tem nas mãos é a continuação de uma longa série de títulos fantásticos. Sua contribuição ao mercado editorial tem abençoado milhões de pessoas do mundo inteiro e deixado uma marca indelével na saúde da igreja global. Seu desejo de descobrir e transmitir as verdades teológicas de maneira prática e relevante é a marca de seu ministério — um ministério ao qual ele dedicou sua vida adulta inteira. Tony é um homem fiel que se dedica ao Senhor, à sua família e à igreja local.

Há mais de três décadas pastoreia o mesmo rebanho.

Há mais de quatro décadas ama a mesma mulher.

E há quase cinco décadas ensina o mesmo evangelho puro de Jesus Cristo. Sua grande integridade e caráter refletem a amplitude de seu ministério.

Gostaríamos que você tivesse desfrutado a oportunidade de sentar-se à nossa mesa da cozinha para conhecer os devocionais que ocorriam quase todas as noites, após o jantar, em nossa casa. Ou de convidá-lo a acompanhar-nos em nossa viagem anual pelos Estados Unidos, uma jornada de trinta dias que Tony corajosamente encabeçava todo mês de agosto. Ou que você participasse conosco dos cultos matutinos de domingo, nos quais ouvimos seus ensinamentos inspiradores durante 37 anos. Aí, então, você veria o homem verdadeiro por trás dessa figura extraordinária: o pastor, o pai e o amigo amoroso e introspectivo cujo coração bate na mesma cadência em que o seu pulsará em cada porção deste livro.

Queremos, portanto, afirmar o seguinte: este livro é semelhante a um trem cujo destino compensará cada esforço despendido durante a viagem. E, como em toda linha férrea, há dois trilhos paralelos por onde correm as rodas da sabedoria e da experiência. Em alguns lugares da jornada, você precisará estar disposto a saltar sobre esses trilhos a fim de extrair de sua leitura o que nela há de melhor. Cada um deles lhe dará um ponto de vantagem diferente — e que realçará o outro. Um lado é o de Tony: bíblico, estimulante e apropriadamente intenso. Você precisará examinar a Bíblia e, depois, sua alma, quando estiver aprendendo lições com as mulheres da Antiguidade que talvez lhe sejam totalmente desconhecidas. Então Chrystal acenará do outro lado, chamando-a para acompanhá-la. Você segurará a mão dela, posicionando-se firme no trilho, e começará uma jornada pessoal que lhe permitirá aplicar as verdades sobre as quais lê.

E dizemos a você, com toda sinceridade, que a viagem nem sempre será fácil e suave. Haverá algumas curvas acentuadas em rochedos íngremes que lhe darão a sensação de que não conseguirá chegar ilesa ao destino — mas você chegará.

Você chegará.

Tony e Chrystal.

Pai e filha.

A combinação perfeita que trouxe até você esta obra incrível, um livro que marcará sua vida para sempre. Você emergirá mais forte, mais sábia e mais motivada a ser aquilo para o que foi criada: uma mulher do reino.

Seja abençoada durante a leitura.

Lois Evans
Priscilla Shirer

Introdução

A IMPORTÂNCIA DA MULHER DO REINO

A cada manhã, quando o despertador de uma mulher do reino toca, o diabo tenta apertar o botão "Soneca". Ele faz qualquer coisa para impedi-la de sair da cama e começar um novo dia.

Nem no inferno há maior furor que o de uma mulher do reino obstinada. Ela luta com todas as forças em favor do reino, até fazer o diabo arrepender-se de tê-la importunado.

Eleanor Roosevelt, uma mulher firme e eloquente, disse certa vez: "A mulher é como um saquinho de chá: só sabemos quão forte é quando o mergulhamos em água quente".[1] Quando a água quente chega, é comum testemunharmos a explosão feminina de força e determinação interior que deixa muitos homens envergonhados. Só no parto, para dar um exemplo, as mulheres sentem e suportam mais angústia e dor que um grande número de homens enviados à guerra.

Não raro, as mulheres são as heroínas anônimas nos bastidores de grandes conquistas, descobertas e campanhas de moralização. Ao longo da história, toda vez que os homens saíram para o combate, as mulheres se encarregaram de preservar a fortaleza local, auxiliaram na provisão e no envio de suprimentos, geriram os negócios, mantiveram a economia e a comunidade nos eixos, e ainda lidaram com a lavoura — tudo isso enquanto cuidavam dos próprios lares.

As mulheres sempre ocuparam um lugar de influência na cultura, embora nem sempre sua atuação tenha sido reconhecida em público — ou permitida legalmente. A autora Virginia Woolf foi sucinta: "Eu me arriscaria a dizer que os anônimos, que deixaram tantos poemas sem assinatura, foram, muitas vezes, mulheres".[2] De fato, tamanha é a capacidade feminina de influenciar pessoas que as mulheres podem mudar o mundo para melhor ou, infelizmente, para pior.

> *Tamanha é a capacidade feminina de influenciar pessoas que as mulheres podem mudar o mundo para melhor.*

Todos nós já ouvimos muitas histórias de influências negativas. Por exemplo, Sansão derrotou um exército inteiro com a queixada de um jumento, mas tornou-se fraco nos braços de uma mulher. Apesar de ter sabedoria, riquezas e poder, Salomão curvou-se à influência pagã de suas numerosas esposas. Davi matou um gigante com a coragem e a ostentação de um gladiador, usando uma pedra e uma funda. No entanto, foi vencido pelo mero vislumbre de uma linda mulher se banhando.

A influência feminina não está somente ligada à sexualidade, nem é usada só para alcançar resultados negativos. Na verdade, muitas mulheres usam seu poder inato para fazer o bem aos que a rodeiam. Em geral, as mulheres amadurecem mais rápido que os homens e, portanto, têm a oportunidade de tomar decisões com menos idade, o que as coloca em posição mais segura na vida e no trabalho. Em comparação aos homens, é maior o número de mulheres que concluem a graduação, e isso vale para todos os níveis de formação superior. E os ganhos das mulheres aumentaram 56% em média desde 1963, enquanto seus colegas do sexo masculino estão ganhando menos que os operários recebiam em 1970.[3]

Além de influenciar mais que nunca o local de trabalho, as mulheres são, em geral, a força motora por trás das transformações sociais. O Center on Philanthropy [Centro de filantropia] verificou que, comparadas aos homens, mulheres da geração pós-guerra e senhoras mais idosas — de praticamente todos os segmentos econômicos — fazem doações mais expressivas (até 89% maiores) a instituições de caridade. Isso faz aumentar o volume dessas vozes femininas em termos de estratégia, visão e organização.[4]

Além disso, as mulheres são dotadas com uma capacidade fascinante que desarma as pessoas, a despeito de quaisquer atrativos físicos. Isso lhes permite conduzir a conversa à sua maneira ou exercer influência sobre decisões importantes em muitas áreas, mesmo que os envolvidos não percebam. As mulheres também trazem dentro de si uma profundidade espiritual e uma clareza de visão que cativam o ser masculino, porque essas qualidades refletem algo que os homens almejam vivenciar.

Nossa cultura costuma apresentar uma ideia ilusória de que o poder, o controle e a influência estão nas mãos dos homens. E os homens, em sua forma mais tosca, procuram, sim, criar, examinar, construir, explorar, alcançar e conquistar, e depois assumem a glória por ter feito tudo isso sozinhos. Mas muitas vezes nos esquecemos de examinar a motivação por trás das ambições de um homem, que quase sempre resultam da influência de uma mulher.

Desde criança, o homem depende da mulher de muitas maneiras — do ventre da mãe até a primeira infância, das professoras e da influência da mídia (que cria uma imagem ideal de mulher). O homem não compra um carro apenas porque deseja um veículo veloz e bonito. Com frequência, ele compra um carro para impressionar uma mulher, mesmo que não admita isso.

Nossa cultura costuma apresentar uma ideia ilusória de que o poder, o controle e a influência estão nas mãos dos homens.

Os homens aprendem, desde os primeiros anos na escola, que o garoto que pratica esporte conquista as garotas. Os garotos que dirigem carros bonitos, têm dinheiro ou esbanjam charme conquistam as garotas. E, ao se tornarem adultos e procurarem um bom emprego, uma reputação razoável ou sucesso na vida, essas lições tão bem gravadas se manifestam. Basta ouvir uma música cantada por um homem para você descobrir uma das maiores forças motoras por trás de muitas coisas que os homens fazem. Este é um exemplo que você encontra nas emissoras de rádio: "Porque o que você não entende é que eu seguraria uma granada por você".[5]

Na trilha sonora do filme *Robin Hood: o príncipe dos ladrões*, de 1991, um personagem de grande entusiasmo, poder e força luta contra seu opositor, enfrentando situações difíceis e perigosas enquanto a letra da música-tema se refere a uma mulher que está por trás de todas as incursões desse herói: "Tudo o que faço, faço por você".[6]

Ou voltemos à minha geração, em que uma canção de muito sucesso, interpretada pelo inigualável Percy Sledge, afirmava: "Quando um homem ama uma mulher, ele troca o mundo pelo bem que encontrou".[7]

É raro um filme épico terminar sem unir ou reaproximar um homem e uma mulher. Batalhas são travadas por causa de mulheres, a história é moldada por mulheres, a política é influenciada ou decidida por mulheres, nações são dirigidas por mulheres. Até no atletismo as mulheres têm mais força e influência. Nos Jogos Olímpicos de Londres em 2012, por exemplo, as norte-americanas ganharam mais medalhas *de ouro* não apenas em comparação com os homens de seu país, mas também considerando-se o *total* de medalhas da maioria dos países (ficando atrás apenas da China, que ganhou 38 medalhas de ouro, e da Grã-Bretanha, que empatou com as norte-americanas somando 29 medalhas). De fato, as mulheres dos Estados Unidos ganharam o total de 58 medalhas, ou seja, o número de medalhas conquistadas por 64 países juntos, excetuando-se a China, a Rússia e o Reino Unido.[8]

Sojourner Truth, uma mulher de fibra, disse: "Se a primeira mulher que Deus criou foi tão forte a ponto de virar o mundo de ponta-cabeça, essas mulheres juntas devem ser capazes de desvirar o mundo e fazê-lo voltar ao lugar!".[9]

Em uma época na qual os direitos femininos eram grandemente limitados por lei, o ensaísta britânico Samuel Johnson, do século 18, escreveu: "A natureza deu tanto poder às mulheres que a lei, por prudência, lhes deu muito pouco".[10]

Felizmente, os direitos legais e as oportunidades das mulheres não se limitam mais aos Estados Unidos ou a outros países — como ocorreu na época de Virginia Woolf, Samuel Johnson ou Sojourner Truth —, mas o sentimento por trás de cada uma das afirmações dessas personalidades continua verdadeiro. As mulheres são naturalmente dotadas para influenciar e impactar o mundo em que vivem.

A primeira mulher

As mulheres enfeitam este planeta com discernimento, sensibilidade e beleza espiritual. Essas características femininas estão por trás das grandes realizações. O ditado popular é verdadeiro: a mão que balança o berço é a mão que governa o mundo, e por trás de cada grande homem há uma grande mulher. Ou, em nosso caso, por trás de cada homem do reino há uma mulher do reino. Ninguém anda por aí dizendo: "Por trás de uma grande mulher há um grande homem". Essa frase não causa nenhuma reação. Há um elevado número de mulheres solteiras bem-sucedidas, competentes e satisfeitas. E há um alto número de mulheres casadas cujo marido não demonstra ser um homem do reino; porém, essas mulheres continuam a ser mulheres do reino, em todos os sentidos.

Deus criou o homem do pó da terra. Em termos básicos, o Criador pegou um pouco de terra e formou Adão. A palavra hebraica para o ato divino de criação do homem é *yatsar*,[11] que significa "dar forma, como faz o oleiro". Deus fez a mulher "com a costela que havia tirado do homem" (Gn 2.22). Criou-a com as próprias mãos. Agiu com toda calma para dar-lhe forma e modelá-la em seu multifacetado esplendor. A palavra hebraica usada para o ato de formar a mulher é *banah*, que significa "construir, no sentido de edificar uma casa, um templo, uma cidade, um altar".[12] É importante notar a complexidade subentendida no vocábulo *banah*. Deus concedeu às mulheres uma natureza distinta que as capacita a executar múltiplas funções satisfatoriamente.

> *Deus concedeu às mulheres uma natureza distinta que as capacita a executar múltiplas funções satisfatoriamente.*

Adão pode ser considerado o protótipo humano 1.0, mas Eva foi o protótipo humano 2.0.

Um fato de suma importância, no entanto, é que Eva foi modelada *lateralmente* com a costela de Adão. Não foi uma formação dominante, de cima para baixo, nem uma formação de subserviência, de baixo para cima. Ao contrário, Eva foi um integrante da raça humana tão respeitado quanto Adão.

Deus aborda a decisão de criar Adão e Eva antes mesmo de nos comunicar como se deu tal processo de criação. A primeira vez que lemos a respeito de Adão e Eva é quando Deus ordena que ambos tenham o mesmo domínio sobre a terra. Somos apresentados aos dois gêneros simultaneamente. Isso ocorre no primeiro capítulo da Bíblia, quando Deus diz:

— Agora vamos fazer os seres humanos, que serão como nós, que se parecerão conosco. *Eles* terão poder sobre os peixes, sobre as aves, sobre os animais domésticos e selvagens e sobre os animais que se arrastam pelo chão.

Assim Deus criou os seres humanos; ele os criou parecidos com Deus. Ele *os* criou homem e mulher.

Gênesis 1.26-27, NTLH

Tanto o homem como a mulher foram criados igualmente à imagem de Deus. Embora essa equiparação envolva funções distintas (analisaremos esse assunto no capítulo 10), não há diferença quanto à igualdade de existência, ao valor ou à dignidade dos gêneros. Ambos têm a responsabilidade de honrar a imagem à semelhança da qual foram feitos. A mulher feita à imagem de Deus nunca deve admitir ser tratada de modo inferior ao que convém a uma criatura que ostenta a imagem do único e verdadeiro Rei. Abraham Lincoln disse: "Nada que tenha recebido o selo com a imagem e semelhança do Divino foi enviado ao mundo para ser pisoteado".[13]

Assim como o homem, as mulheres foram criadas para dominar.

Um pacto de domínio

Quando criou os céus e a terra, Deus estabeleceu uma ordem. Embora seja o Criador e o Governador supremo de sua criação, sua ordem prescrita confere poderes à humanidade. Na teologia, isso é conhecido como Pacto de Domínio. Foi quando Deus transmitiu a homens e mulheres a regra imediata e tangível acerca de sua criação, conforme limites e diretrizes estabelecidos por ele. O Pacto de Domínio é apresentado em Gênesis 1, onde lemos: "Agora vamos fazer os seres humanos, que serão como nós, que se parecerão conosco. *Eles* terão poder sobre..." (v. 26, NTLH).

O Pacto de Domínio é raramente ensinado ou discutido. Ainda assim, não é algo insignificante. Em essência, envolve a vontade de Deus de afastar-se da administração direta do que ele criou na terra e delegar essa responsabilidade aos seres humanos.

Quando lemos que Deus criou o homem à sua imagem, significa que ele criou o homem e a mulher. O Pacto de Domínio não se aplica apenas aos homens, mas às mulheres também.

> *A mulher do reino é uma parte essencial do domínio de Deus sobre a terra.*

A mulher do reino é uma parte essencial do domínio de Deus sobre a terra. Ele nos delegou essa responsabilidade, capacitando cada um de nós a tomar decisões. Essas decisões são acompanhadas de bênçãos ou consequências, de acordo com as leis e os limites que Deus estabeleceu.

Deus estabeleceu um processo por meio do qual ele respeita nossas decisões — mesmo que essas decisões sejam contra ele e ainda que não configurem a melhor escolha para aquilo que está sendo administrado. Deus disse: "*Eles* terão poder".

Embora tenha autoridade absoluta e soberana, Deus delegou uma autoridade relativa à humanidade, segundo a esfera de influência, ou domínio, que cada pessoa tem.

Um dos motivos pelos quais esse poder e essa responsabilidade foram tão negligenciados é que, para começar, muitas pessoas se confundem e não entendem por que estão aqui na terra. Isso aconteceu por causa de uma cultura que há décadas flerta com o hedonismo. A visão do mundo hedonista alimenta a noção de que o destino pessoal de alguém existe para promover sua felicidade.

Na economia de Deus, contudo, a felicidade pessoal é um agente derivativo — um benefício —, e não a meta ou a força motora do destino de uma mulher do reino. A felicidade não é *o* motivo pelo qual Deus criou as mulheres. Ele criou as mulheres para promover seu reino e sua glória.

O domínio no reino

Deus investiu sua imagem nos homens e nas mulheres que criou e os colocou em posição de destaque. A mulher do reino deve refletir Deus e o reino divino de forma tão extraordinária que as pessoas queiram conhecer mais a respeito da realidade que ela representa. A mulher do reino foi colocada aqui para refletir a imagem de Deus.

Notei um exemplo disso em uma das vezes que estive em Nova York com a minha mulher, Lois. Todas as vezes que vamos a Nova York, passamos inevitavelmente uma tarde na Saks Fifth Avenue. As vitrinas enfileiradas na calçada dão aos transeuntes um vislumbre do que existe no "reino" da Saks. Os proprietários investiram grandes recursos e tempo para exibir o que aquele reino tem a oferecer.

Eu gostaria que um número maior de pessoas percebesse quanto o reino de Deus tem a oferecer. O motivo de poucas pessoas entenderem o significado do Pacto de Domínio é que muitas não conhecem o valor verdadeiro do reino de Deus. Não sabem o que exatamente devem representar neste mundo.

O corpo de Cristo, em geral, concentra-se mais no conceito de igreja que no conceito do reino. Há muitas pessoas que não demonstram de modo visível o que Deus significa para elas. Não promovem satisfatoriamente o reino de Deus.

Um dos motivos é que a igreja se dedicou a templos e programas em vez de ensinar homens e mulheres a terem acesso à autoridade do reino.

Temos igreja, mas não vivemos a experiência do reino. Se nossas igrejas não pautarem suas ações com base na mentalidade do reino, os cristãos não serão ensinados a *ser* a igreja do reino que Cristo veio edificar. Aliás, Jesus só mencionou três vezes a palavra *igreja* em seu ministério terreno, e as três vezes estão registradas em Mateus, o evangelho focado no reino.[14] A palavra *reino*, no entanto, aparece 55 vezes no mesmo evangelho.[15]

É comum ouvirmos mais sobre a igreja que sobre o reino. "Plantamos igrejas" em vez de promover o reino. Nossos seminários ensinam nossos futuros líderes a *fazer* igreja em vez de *ser* do reino. Mas não podemos ter igreja sem o reino, e o reino cumpre seu programa de ação por meio da igreja. No entanto, sem um ensinamento visível e preciso sobre a maneira pela qual se vive como homens e mulheres do reino, não saberemos viver nosso propósito na prática.

No Novo Testamento, a palavra grega para "reino" é *basileia*, que significa "autoridade" e "domínio".[16] O reino sempre inclui três componentes: um rei, um círculo de súditos sob seu domínio e os governadores (ou administradores). O *reino de Deus* é a realidade absoluta de "*seu domínio completo sobre toda a criação*". O *programa de ação do reino* é simplesmente "a demonstração visível do domínio completo de Deus sobre cada área da vida".[17]

O reino de Deus transcende o tempo, o espaço, a política, as denominações, as culturas e as esferas da sociedade. Está próximo (Mc 1.15) e, ao mesmo tempo, ainda demorará um tempo (Mt 16.28); está perto (Lc 17.21) e também distante (Mt 7.21). Os domínios do reino incluem a pessoa, a família, a igreja e o governo civil. Deus apresentou diretrizes para o funcionamento desses quatro domínios, e o não seguimento de tais diretrizes resulta em confusão e prejuízos.

O principal componente sobre o qual todos os outros se sustentam é a autoridade do rei. Sem essa autoridade, ocorre a anarquia. Sabendo disso, Satanás fez questão de garantir que seu primeiro passo fosse tentar, de maneira sutil e enganosa, destronar o Rei deixando de usar a palavra *Senhor* como Deus usou quando se referiu a si mesmo no início de Gênesis. *Yahweh*, traduzido por "Senhor Deus", significa "mestre e governador absoluto"[18] e é o nome que Deus usa para revelar não apenas a si próprio como também seu relacionamento conosco. Antes de revelar-se aos seres humanos, Deus foi apresentado como Elohim, o poderoso Criador.

Quando se dirigiu a Eva para tratar do consumo do fruto proibido, Satanás não se referiu a Deus como Senhor *Deus*. Na verdade, ele omitiu o nome Senhor em Gênesis 3.1: "Foi isto mesmo que *Deus* disse...?". Satanás tentou reduzir o domínio de Deus, iniciando o diálogo com uma distorção sutil, porém eficaz, do nome de Deus. O objetivo de Satanás ao agir assim foi confundir Eva a respeito da definição e da ordem vigente no reino de Deus.

Quando comeram do fruto, em um ato de desobediência, Adão e Eva escolheram mudar o conceito que tinham de Deus, desconsiderando sua característica de Mestre e Rei. O resultado foi que eles perderam a comunhão íntima com Deus e entre si. Felizmente, na cruz, Jesus Cristo restaurou essa comunhão íntima por meio de seu sacrifício imaculado e sua ressurreição. Agora, podemos ter uma comunhão direta com Deus, sem nenhum obstáculo, graças ao ato sacrificial de Cristo. Isso, contudo, ocorre somente quando nos submetemos a Deus como SENHOR Deus — o Mestre e Rei. Portanto, a *mulher do reino* pode ser definida como "a mulher que se coloca sob a autoridade de Deus e age de acordo com essa autoridade em todas as áreas de sua vida".

> *A mulher do reino pode ser definida como "a mulher que se coloca sob a autoridade de Deus e age de acordo com essa autoridade em todas as áreas de sua vida".*

Eva deu um passo errado quando decidiu agir por conta própria em vez de obedecer à ordem de Deus. Muitas mulheres de hoje ainda lutam com a questão de transferir a alguém o controle de sua vida e, dessa forma, ficam expostas a sofrimento, perda e caos. No entanto, pela graça e misericórdia de Jesus Cristo, toda mulher pode submeter-se a Deus e ter uma vida transformada.

Crônicas de Chrystal

Mulher do reino. Essas palavras me fizeram pensar em belos sapatos de salto fino e alto, sobre os quais eu teria de andar o dia inteiro. A verdade é que sei que não sou o tipo de mulher que faz isso. Essa mulher é alguém com quem eu gostaria de parecer e me esforço para tanto, mas suas funções e responsabilidades parecem difíceis demais de enfrentar. A própria definição de mulher do reino apresenta-se como um grande obstáculo. Afinal, onde está essa mulher — quem é essa mulher — que se posiciona com regularidade e firmeza sob o domínio completo de Deus, a quem submete sua vida e é obediente?

Ah, eu sei. Ela deve ser minha vizinha. Deve ser a mulher que se senta ao meu lado na igreja ou a senhora que sempre parece ter tempo para servir aos outros. Deve ser a mulher casada há mais de 57 anos ou a mulher de 57 anos de idade que tem uma vida de pureza extraordinária. Deve ser a mulher que anda com uma Bíblia esfarrapada e surrada ou a mulher que decora sua mesa de trabalho com tudo o que se refere a Jesus. Deve ser a mulher que nunca grita com os filhos e a mulher que sempre prepara refeições deliciosas para a família. Deve ser a mulher cuja ética profissional não faz jus a nenhuma reprimenda e que desfruta completa liberdade financeira porque costuma escolher a moderação em vez de andar na moda. Ela tem uma cintura pequena e não convive com nenhum vício. Ela deve ser uma mulher comum, *diferente de mim*, é isso.

Assim como Eva, nós, mulheres, temos a tendência de passar mais tempo analisando o que não somos ou o que não temos em vez de reconhecer quem somos e para que fomos criadas. A vitória de Satanás sobre Eva começou muito antes de ela ter comido do fruto. A mordida foi apenas o ponto culminante de uma morte que começou quando Eva deu início a uma conversa com o diabo. E é isso que fazemos com frequência. Mantemos o foco nas áreas de nosso "jardim" (nosso domínio ou campo de ação) que parecem fora de alcance ou controle. Pegamos a semente do descontentamento oferecida pelo diabo e comunicamos à nossa alma nossa insatisfação, infelicidade ou nosso aborrecimento.

Assim como Eva, temos uma escolha: acreditar no que a Palavra de Deus diz sobre quem somos e para que fomos criadas, ou alimentar as mentiras plantadas pelo inimigo de nossa alma e cultivadas pela cultura na qual vivemos. Romanos 10.17 diz que "a fé vem por se ouvir a mensagem, e a mensagem é ouvida mediante a palavra de Cristo". E é disso que este livro trata: ouvir (e ler) o que Deus diz sobre quem você é como mulher criada para a glória divina.

Desejo ser a mulher que ele intencionou que eu fosse quando me criou — não a mulher que eu mesma gostaria de ser ou a mulher que o mundo diz que devo ser. Sinto grande alegria ao pensar no projeto detalhado e no complexo esforço de que Deus lançou mão quando me fez. Estou muito contente por não ter de ser outra pessoa. Tenho de ser a mulher que Deus quer que eu seja.

Você não precisa buscar a aprovação de ninguém para a vida que Deus lhe deu. Não precisa desculpar-se pela força, pela firmeza, pela coragem, pelo talento, pela beleza ou pelo intelecto que seu Criador lhe concedeu. Mulheres, todas nós "somos criação de Deus realizada em Cristo Jesus para fazermos boas obras, as quais Deus preparou antes para nós as praticarmos" (Ef 2.10).

Mulher do reino. Não é fácil andar o dia inteiro com aqueles sapatos vermelhos com salto de dez centímetros. Mas o primeiro olhar pode ser enganador. O sapato certo feito pelo projetista certo e com os materiais certos não deve apenas caber em seu pé. Precisa ser confortável! Deus elaborou um plano e um propósito para você. Você não apenas foi feita "de modo especial e admirável" (Sl 139.14); foi criada à imagem de um Deus radiante e majestoso, cheio de beleza e esplendor.

> Você não precisa buscar a aprovação de ninguém para a vida que Deus lhe deu.

Portanto, use a glória dele corretamente. Ande nos caminhos dele.

Mais que auxiliadoras

Há um ditado antigo que diz: "As mulheres que querem ser iguais aos homens não têm ambição". Pense nisso por um instante, porque não quero que você perca a força dessas palavras. Muitas mulheres foram ensinadas a pensar dessa maneira porque Deus considerou a mulher "auxiliadora de Adão", o que tornaria as mulheres "menos importantes" que os homens. As mulheres costumam ouvir que devem ser semelhantes ao Espírito Santo em sua função de "auxiliador". No entanto, um olhar mais atento à palavra hebraica usada para "auxiliador/ajudador" na Bíblia deve abrir-lhe os olhos.

No relato da criação, as palavras hebraicas traduzidas por "alguém que o auxilie" são importantes por se mostrarem surpreendentemente poderosas. São elas: *ezer* e *kenegdo*. A palavra *ezer* aparece 21 vezes no Antigo Testamento e refere-se à mulher em apenas duas ocasiões. Os outros usos referem-se a ajuda [ou auxílio/socorro] que vem diretamente de Deus, o Pai.[19]

Veja alguns exemplos:

> Não há outro, ó amado, semelhante a Deus, que cavalga sobre os céus para a tua ajuda [ezer].
>
> Deuteronômio 33.26, RA

> Nossa esperança está no SENHOR; ele é o nosso auxílio [ezer] e a nossa proteção.
>
> Salmos 33.20

> Quanto a mim, sou pobre e necessitado; apressa-te, ó Deus. Tu és o meu socorro [ezer].
>
> Salmos 70.5

> O nosso socorro [ezer] está no nome do SENHOR, que fez os céus e a terra.
>
> Salmos 124.8

Para distinguir *ezer* de outros usos no Antigo Testamento, que se referiam a uma ajuda mais forte proporcionada por Deus, foi acrescentada a palavra *kenegdo*, que significa literalmente "diante de sua face, em sua visão ou propósito".[20] Alguns traduziram *kenegdo* também com o significado de "uma conclusão de" ou "correlativo a". Como você pode ver, o nome que Deus deu a Eva não se refere a uma função de subserviência, de criada ou de escrava. A função dela era de forte auxiliadora, comparável à função de Deus, o Pai.

Muitas pessoas consideram a Bíblia um livro escrito com uma visão pessimista acerca das mulheres ou sob uma perspectiva que as menospreza. Charles Templeton, que um dia foi evangelista e depois começou a duvidar da Bíblia, declarou sucintamente esta opinião em *Farewell to God* [Adeus a Deus]: "Na Bíblia, as mulheres são criaturas secundárias e relativamente sem importância"; "Na maioria das expressões básicas do cristianismo, as mulheres permanecem submissas e subordinadas aos homens".[21] Aqueles que, como Templeton, acham que as Escrituras foram criadas como reflexo de uma visão do mundo misógina, que oprime e nega o valor das mulheres, desconhece, é claro, a linguagem e o contexto originais.

No entanto, a palavra que Deus decidiu usar para o propósito e a intenção da mulher é a mesma usada para referir-se a ele próprio como a principal pessoa da Divindade. Deus não se esquiva de referir-se a si mesmo ou de definir-se por meio do uso de palavras ou imagens retóricas femininas. Veja alguns exemplos:

- Deus como uma mulher em trabalho de parto (Is 42.14).
- Deus como parteira (Sl 22.9-10; 71.6; Is 66.9).
- Deus como uma mulher que procura uma moeda perdida (Lc 15.8-10).
- Deus como uma mãe ursa (Os 13.8).
- Deus como uma mãe que:
  * cuida dos filhos (Nm 11.12);
  * não se esquece dos filhos (Is 49.14-15);
  * consola o filho (Is 66.13);
  * dá à luz Israel e o protege (Is 46.3-4);
  * chama, carrega, cura e alimenta os filhos (Os 11.1-4);
  * reúne os filhos como uma galinha (Mt 23.37);
  * protege sua prole (Sl 17.8; 36.7; 57.1; 91.1-4).

Na verdade, Deus não usa a terminologia e a imagem retórica femininas apenas para transmitir os preceitos espirituais mais importantes. Em toda a Bíblia, a principal referência à igreja também usa terminologia feminina (por exemplo, a noiva de Cristo).

Quando escolheu usar Maria como exemplo de discipulado pessoal, Jesus a estabeleceu de maneira tal que contrariava as normas culturais da época no que se referia às mulheres. Em vez de preservar a perspectiva cultural de que as mulheres deviam cuidar das tarefas da casa na cozinha, como Marta estava fazendo, Jesus declarou especificamente que Maria escolhera a melhor parte ao participar do estudo teológico aos pés dele, o Cristo. Naquela época, somente os homens aprendiam aos pés de um rabino. Jesus respeitou a decisão de Maria como mulher e, mais ainda, a elogiou.

> *Deus tem as mulheres em tão alta estima que ignora a oração de um homem que não as respeita como co-herdeiras no reino de Deus*

Na verdade, Deus tem as mulheres em tão alta estima que ignora a oração de um homem que não as respeita como co-herdeiras no reino de Deus (1Pe 3.7).

Foi Deus quem criou a mulher, e não Adão

A criação da mulher por Deus não resultou de um pedido de Adão. Não foi Adão quem disse que necessitava de alguém em sua vida. Ao contrário, Deus disse: "Não é bom que o homem esteja só" (Gn 2.18). Deus viu a aparente necessidade de uma companheira que auxiliasse Adão na realização do Pacto de Domínio; portanto, criou uma *ezer kenegdo*. Adão não teve participação alguma na criação de Eva, a não ser tirar um cochilo.

O primeiro chamado de Eva foi para obedecer a Deus, isto é, cumprir o propósito divino para sua vida, que, naquele caso, era auxiliar Adão. A função de Eva como auxiliadora não era tão somente uma questão de companheirismo; incluía também um papel importante como colaboradora na ordem dada por Deus para que dominassem a criação.

No entanto, hoje muitas mulheres — por causa do divórcio ou por falta de um homem do reino que lhes sirva de marido — não têm um Adão a quem possam auxiliar. Se você é uma dessas mulheres, tenha coragem e sinta orgulho de seu chamado, porque Deus é seu propósito, e isso lhe basta. Você foi feita para ele. Deus disse:

> "Pois o seu Criador é o seu marido, o Senhor dos Exércitos é o seu nome, o Santo de Israel é seu Redentor; ele é chamado o Deus de toda a terra. O Senhor chamará você de volta como se você fosse uma mulher abandonada e aflita de espírito, uma mulher que se casou nova apenas para ser rejeitada", diz o seu Deus.
>
> Isaías 54.5-6

Quer você seja casada, quer Deus seja seu marido (Is 54.5), seu valor excede o de qualquer tesouro. Uma das verdades mais importantes na qual você precisa acreditar refere-se a seu valor. Você é importante. Você é valiosa. Você vale mais que as joias. Como mulher do reino que teme ao Senhor, guarde seu valor. Para isso, certifique-se de que a visão que tem de si mesma está de acordo com o valor que Deus lhe dá. Faça o possível para assegurar que as outras pessoas a tratem com dignidade. Você deve ser tratada como um tesouro, e não como alguém para ser jogado fora ou usado.

Entendo que há situações nas quais você não será capaz de controlar a maneira como é tratada, mas isso não significa concordar com a situação. Você não tem de aceitar internamente que alguém desonre sua imagem. Isso não deve afetar sua visão de quem você é. Eleanor Roosevelt disse: "Ninguém pode fazer você sentir-se inferior sem seu consentimento".[22]

Você é, em primeiro lugar e acima de tudo, uma mulher do reino criada para a obra de Deus. Sua vida, por meio da força sustentadora que ele lhe proporciona, deve ser a de uma pessoa de muito propósito, grande poder espiritual e inúmeras possibilidades.

A mulher do reino vence as tentativas do inimigo de complicar sua vida e a vida das pessoas que ela ama.

Quando a mulher do reino se retira para dormir, o diabo, frustrado e exausto, deve dizer: "Mexi com a mulher errada hoje". Não há nada como uma mulher do reino que vence as tentativas do inimigo de complicar sua vida e a vida das pessoas que ela ama. Não há nada como uma mulher do reino que tem êxito em encontrar e cumprir o propósito para o qual Deus a criou.

Não há nada como uma mulher do reino em sua plenitude.

Parte 1

O FUNDAMENTO DA MULHER DO REINO
— Propósito —

1

Uma mulher valorosa

Quando uma mulher do reino começa seu dia, o céu, a terra e o inferno tomam conhecimento desse fato. Quando ela incentiva o homem que ama, ele dificilmente consegue contrariá-la. Quando ela oferece carinho, consolação e encorajamento aos amigos e familiares, eles se sentem capacitados a dar um passo maior, mais rápido e mais confiante por causa da influência e segurança que ela lhes transmite. "Seus filhos se levantam e a elogiam" (Pv 31.28). As outras mulheres recorrem a seus conselhos sábios e ouvidos atentos. A igreja confia em seu trabalho fiel. Ela contribui grandemente para a cultura e age como sentinela em sua casa, a fim de afastar o que é negativo e promover o que é positivo.

Quando examinamos a história da fé cristã, as mulheres do reino (tanto as casadas como as solteiras) estão por toda parte. Em toda a Bíblia há mulheres do reino que salvaram vidas e nações. Foi Joquebede que interveio para salvar seu filho Moisés (Êx 2). Graças à proteção e à vigilância da mãe, Moisés foi posteriormente usado como libertador de Israel (Êx 3). Foi Zípora, mulher de Moisés, que salvou a vida dele quando Deus ia castigá-lo por sua recusa em obedecer a uma simples ordem (Êx 4.24-26). Raabe foi importantíssima para a vitória de Israel sobre Jericó (Js 2).

A recusa de Rute em voltar para seu povo por causa de sua dedicação a Noemi, sua sogra, deu prosseguimento à linhagem do Messias (Rt 4.18-22). A coragem de Ester deu oportunidade ao povo judeu de defender-se do que poderia ter sido uma completa aniquilação (Et 7—8). Maria carregou o Filho de Deus no ventre (Lc 1.30-35).

A descrição bíblica mais clara do que é a mulher do reino encontra-se em Provérbios 31. O interessante, porém, é que em nenhum de meus estudos das Escrituras encontrei uma passagem relativa aos homens que fosse tão contundente quanto a de Provérbios em relação às mulheres. Talvez os homens precisem da Bíblia inteira para isso, ao passo que as mulheres necessitam apenas de um capítulo.

A mulher de Provérbios 31 é o símbolo das mulheres do reino. Gosto de chamá-la de mulher de todas as estações do ano. Ela é forte, inteligente, capaz, generosa, versátil, eficiente, mentalmente espiritual e muito mais.

Ora, não feche este livro ainda. Sei que isso dá a entender que ela é uma mulher perfeita, e talvez você sinta que é muito difícil alcançar esse modelo de virtude. Mas a mulher de Provérbios 31 não é o modelo de uma mulher perfeita. Tampouco a mulher do reino foi chamada para ser perfeita.

A mulher de Provérbios 31 não é o modelo de uma mulher perfeita. Tampouco a mulher do reino foi chamada para ser perfeita.

Vamos usar a mãe dona de casa como exemplo. A mulher do reino não é alguém capaz de realizar múltiplas tarefas perfeitamente enquanto cuida de três filhos muito diferentes uns dos outros, trabalha em quatro comitês da igreja, reveza-se na direção do carro para transportar onze crianças ao campo de futebol, treina a equipe para a competição de ortografia, é uma chefe durona no trabalho, proporciona a melhor noite da vida de seu marido e usa roupa manequim 40 depois de tornar-se cinquentona — tudo isso enquanto cozinha usando apenas alimentos orgânicos e não modificados geneticamente e prepara cada refeição com poucos ingredientes disponíveis.

Essa mulher não existe. E não escrevemos este livro para fazer você pensar que deveria ser igual a ela. Na verdade, por minha experiência de pastorear uma igreja há quase quatro décadas e ter passado milhares de horas aconselhando homens e mulheres, digo que, em geral, o problema está no fato de as mulheres tentarem fazer muitas coisas, e tudo ao mesmo tempo.

Mulheres, vocês podem ser uma mulher de Provérbios e muito mais — porém, isso não significa que devam fazer tudo ao mesmo tempo.

Um dos princípios mais importantes para você como mulher do reino é entender que sua vida passa por diferentes estações do ano. Cada estação implica diferentes limites de tempo, bênçãos e exigências. Tentar fazer todas as coisas sem estar ciente da estação em que você se encontra é o caminho mais certo para a exaustão e até mesmo a amargura.

O principal fundamento para ser uma mulher do reino não inclui um milhão de coisas diferentes feitas de um milhão de maneiras diferentes. O principal fundamento é simples e de fácil compreensão. Localiza-se no fim de Provérbios 31. Depois de relacionar tudo o que aquela mulher fez, o versículo diz:

> A beleza é enganosa, e a formosura é passageira; mas a mulher que teme o Senhor será elogiada. Que ela receba a recompensa merecida, e as suas obras sejam elogiadas à porta da cidade.
>
> Provérbios 31.30-31

O que separa a mulher do reino das outras mulheres resume-se ao temor que essa mulher tem a Deus. Sua reverência determina suas ações, seus pensamentos, suas palavras e prioridades. Sem isso, as exigências da vida sufocariam toda e qualquer mulher.

Temer o Senhor

A mulher que teme o Senhor receberá o elogio que lhe é devido. Seu trabalho e os produtos de suas mãos lhe renderão o reconhecimento e a aprovação somente a ela devidos. Quando a mulher entende quem ela é e como Deus a criou — quando ela busca seu propósito de acordo com o modo como Deus pretendeu que ela fosse —, o que ela faz produz resultados extraordinários. Isso porque o que ela faz está de acordo com a vontade de Deus. Em geral, muitas mulheres baseiam suas decisões em tentar agradar aos outros ou ganhar aceitação, estima e sensação de merecimento por suas decisões, aparência ou ações. Deus, porém, nunca disse que você seria elogiada por tentar agradar aos outros.

O exercício das funções de uma mulher do reino baseia-se em seu temor a Deus. A maneira pela qual ela prioriza seu lar e sua família, organiza a vida, toma decisões, escolhe os investimentos e desenvolve as próprias habilidades resulta de seus esforços para proclamar o reino de Deus. Se as prioridades dela estiverem fundamentadas em outra coisa, isso produzirá cansaço e correria em vez de frutos e vida plena.

A maneira mais simples que conheço para definir o que significa temer a Deus é levar Deus a sério. Significa colocar o que Deus diz e o que ele exige de você como prioridade máxima em sua vida. Temer a Deus não significa morrer de medo dele. A palavra *temor* deve ser entendida como respeito ou admiração reverencial. Significa ter Deus na mais alta estima. A mulher do reino teme ao Senhor em todas as áreas de sua vida.

A principal influência na vida da mulher do reino é Deus. A voz dele é a mais alta. É nele, e somente nele, que ela busca a alegria de viver.

O mundo dos negócios não controla a mulher que teme a Deus. A televisão, as revistas, os *blogs* e os *sites* de relacionamento, com todas as suas influências, não conseguem afastá-la dele.

As emoções e decisões dessa mulher não são impostas por seus amigos. A cultura não a define. Nem mesmo suas próprias ambições a dominam. Ao contrário, a principal influência na vida da mulher do reino é Deus. A voz dele é a mais alta. É nele, e somente nele, que ela busca a alegria de viver. O respeito que ela sente por ele determina suas escolhas.

Os resultados de temer o Senhor

Sim, a mulher de Provérbios 31 fazia muitas coisas. Conquistou a confiança do marido, tecia as roupas da família, procurava os melhores fornecedores para comprar os alimentos da casa e investia em pequenos negócios com o lucro adquirido da vinha que ela plantou. Ajudava os pobres, cuidava de todos de sua casa e vestia-se e aos filhos com roupas de boa qualidade. Era respeitada pelo marido e transmitia sabedoria aos que a rodeavam.

Não se esqueça de que, no tempo e na cultura em que essa mulher vivia, a tarefa de plantar uma vinha não cabia unicamente a ela. A passagem diz que seus braços eram fortes (v. 17); portanto, sabemos que ela fez uma parte do trabalho. Porém, com base nas normas culturais da época, é provável que ela tenha contratado outras pessoas para trabalhar na vinha. Ela devia ter criadas que a ajudavam em casa, lavavam a roupa, preparavam a comida e realizavam outras tarefas.

Quando analisamos detalhadamente tudo o que a mulher de Provérbios 31 fez e transportamos isso para os nossos dias, não parece ser um trabalho grande demais e muito difícil de ser realizado. Em essência, ela honrava e respeitava o marido. Alimentava e vestia a família com a comida mais saudável e as melhores roupas que podia comprar. Investia o uso de suas habilidades em negócios pessoais, falava aos outros com sabedoria e bondade, vestia-se de modo atraente e ajudava os pobres. Todas essas ações podem ser facilmente transportadas para o mundo de hoje.

Não quero que você pense que tudo o que ela conseguiu realizar está demasiado longe do que Deus é capaz de fazer por meio de você. Não está. O resumo da história é que o temor e o respeito daquela mulher por Deus foram as causas de ela fazer o melhor que podia, e com os recursos que possuía, para proclamar o reino e a bondade de Deus na vida dela e na dos que a rodeavam.

É bom buscar ajuda

Há um princípio importante e quase sempre esquecido quando examinamos a vida da mulher de Provérbios 31: ela não era orgulhosa demais a ponto de não pedir ajuda. Lemos no versículo 15: "Antes de clarear o dia ela se levanta, prepara comida para todos os de casa, e dá tarefas às suas servas". *Serva* não é uma palavra que usamos hoje. Na antiga sociedade hebraica, referia-se a uma criada ou ajudante. Trata-se de uma pequena referência a uma verdade relevante. Conforme mencionei antes, a mulher do reino em Provérbios 31 não tentava fazer tudo sozinha. Havia alguém para ajudá-la. Ela era diligente, versátil e produtiva, mas não fazia tudo sozinha.

Hoje, há um estigma em relação às mulheres cristãs em particular sobre pedir ajuda ou ser ajudada. Por um motivo desconhecido, as pessoas passaram a acreditar que em algum lugar da Bíblia está escrito que "a exaustão anda de mãos dadas com a piedade". Não está. A maneira mais rápida de desviar-se do destino que Deus traçou para você é considerar-se uma supermulher que precisa fazer tudo sozinha. O segredo para seu destino é reconhecer humildemente sua dependência de Deus e engrandecer ao máximo tudo o que ele lhe concede, mesmo que isso inclua aceitar ou usar a ajuda de outras pessoas.

Por exemplo, no mundo corporativo, uma gerente não seria considerada ótima em sua função se tentasse fazer o trabalho das outras pessoas. Uma ótima gerente sabe extrair o melhor de seus subordinados e, ao mesmo tempo que os lidera, complementa os esforços deles. Você não precisa alcançar suas metas sozinha.

Crônicas de Chrystal

Eu estava desabando, e desabando rápido. Depois de feriados turbulentos seguidos de uma viagem para fora do estado a fim de acompanhar a cirurgia de nosso filho, eu sentia que minha casa estava fora de controle. Na época, eu tinha um filho adolescente, um pré-adolescente, um em idade pré-escolar, um de 3 anos e um bebê. Ah, deixei de mencionar meu marido, um homem carinhoso do reino, que acabara de entrar no ramo da música, o que significava muitas viagens e bastante tempo fora de casa cuidando de turnês de concertos. Eu dormia mal, tinha pouca energia e poucas horas para trabalhar.

Ao ver a minha casa, eu sabia que não poderia fazer tudo sozinha, mas estava determinada a tentar. Estava convencida de que não precisava de ajuda para cumprir meus deveres de esposa e mãe. Sempre trabalhei sob pressão e era capaz de girar alguns pratos no ar ao mesmo tempo. Por ter sido mãe aos 19 anos, sabia fazer malabarismo com prioridades e compromissos e deixar tudo pronto. Gostava de ser capaz de fazer isso e não queria, de modo nenhum, ter alguém mais para dividir a glória comigo, isto é... quero dizer... para ficar sobrecarregado com as responsabilidades que me pertenciam.

Eu via outras mulheres como seres superpoderosos que não pediam ajuda a ninguém. Mal sabia eu que algumas estavam deixando os pratos caírem! Sabemos como dissimular as coisas, não? Cada uma de nós encontra, à sua maneira, um jeito de fazer tudo parecer bonito e bem-arrumado para quem vê de fora, mas conhecemos a verdade a respeito da bagunça por trás das portas fechadas.

Eu não estava pronta para admitir que necessitava de ajuda. Queria ser também uma supermulher.

Lembro-me de uma noite daquela temporada frenética, daquelas poucas e genuínas horas, logo depois de a última criança adormecer e meu marido começar a cochilar. Não havia nenhum som, a não ser a voz suave de Deus perguntando, em um sussurro, se eu me esquecera dele naquele dia. "Deus", eu disse, "se queres que eu tenha tempo para dedicar a ti também, preciso de ajuda para cumprir todas as minhas tarefas. E preciso que *tu* me tragas essa ajuda". Eu não queria ter de me humilhar tanto a ponto de procurar ajuda e, portanto, de reconhecer que precisava de auxílio.

Deus, porém, é grande demais. Apesar de meu vil egoísmo, ele ouviu minha oração no meio daquela noite escura e sufocante.

Contudo, antes de revelar a resposta àquela oração, eu gostaria de explicar minha filosofia sobre limpeza. Sou fiel ao ditado: "Minha casa deve estar limpa o suficiente para ser saudável, mas bagunçada o suficiente para morarmos dentro dela". Meus filhos estudam em casa, e sou eu quem os ensina; então, não espero que meu lar seja como aqueles exibidos nas revistas. Eu — e mais quatro ou cinco filhos (dependendo da época do ano) — permaneço em casa o tempo todo pelo menos quatro dias da semana. Minha casa não vai ficar um encanto só porque a limpo o tempo todo. Isso é impossível. Luto para me equilibrar entre ser boa mãe, boa professora, boa cozinheira, boa esposa e boa dona de casa. Qualquer dia desses, vou aproveitar uma oportunidade rara de pular na cama elástica enquanto meus filhos esfregam os rodapés!

Conheço, claro, um punhado de mulheres que são boas donas de casa, ótimas donas de casa de fato. Tento descobrir com meu marido como elas conseguem isso. Veja o que aprendi. Todas nós temos 24 horas em um dia. Se a casa de alguém está sempre bem-arrumada, isso indica de que forma ela gasta o tempo. Tenho uma amiga que mora em uma casa linda, tem quatro filhos que estudam em casa e outros quatro maiores de 12 anos. (Você, que é mãe de filhos pequenos, ouviu isso? Ela não tem filhos pequenos!) Claro que ela corre de um lado para o outro, levando os filhos aos treinos de basquete e de futebol, mas há outros quatro maiores em casa que a ajudam muito. Outra amiga minha, com filhos pequenos, tem uma casa maravilhosa, digna de aparecer em uma revista. Mas seus filhos passam três dias da semana em uma creche... e ela tem uma babá. Os filhos de minha amiga que prepara comidas requintadas todas as noites passam o dia inteiro na escola.

Também tenho uma amiga cuja casa está sempre em desordem, mas ela gosta muito de passar tempo com os filhos e brinca com eles muito mais do que eu brinco com os meus. Eles estão sempre se divertindo fora ou dentro de casa, fazendo peças de artesanato. Atualmente, a criatividade e o divertimento são os valores mais altos dessa família. Mulheres, tudo gira em torno do que Deus planejou para vocês e o que é importante em sua vida. É isso que determina como você decide passar o tempo. Ninguém pode fazer tudo sozinho.

Portanto, por ser mãe de crianças em idade pré-escolar a caminho de se tornarem jovens adultos, faço apenas o melhor que posso. Se eu tentasse colocar minha casa em primeiro lugar a qualquer custo, outra coisa muito importante seria prejudicada: o progresso do relacionamento com meus filhos.

Diante dessa minha revelação, devo dizer que fiz uma série de adaptações em minhas expectativas pessoais nos últimos anos, a fim de manter a mente em bom funcionamento.

Estas foram algumas de minhas adaptações:

- Meu objetivo é limpar a cozinha duas vezes por dia. Três vezes é pedir demais. Mesmo assim, sempre há pratos dentro da pia.
- Procuro passar pano no chão duas vezes por semana, a não ser em casos excepcionais. É muito angustiante limpar o chão e ver, dali a algumas horas, que parece que não fiz nada.
- Tento limpar cada cômodo de casa uma vez por semana em sistema de rodízio. O que isso significa? Minha casa nunca está inteiramente limpa.

- Ensino constantemente meus filhos a cuidar de nossa casa, porque estou tentando me afastar aos poucos desse trabalho e deixar a tarefa para eles. Significa que nossa "casa limpa" não vai ficar perfeitamente limpa.
- A tarefa de lavar roupa é constante. Lavo uma vez por dia.
- Meu carpete nunca vai ter a aparência de novo, por mais regras que eu imponha para que todos comam e bebam na cozinha. Isso não acontece. Fazer o quê?
- Nós *moramos* em nossa casa. Meu filho adolescente faz os deveres de casa no computador, e os menores usam a mesa da cozinha para fazer isso. Vivemos reunidos como em uma ilha — em resumo, estamos em todos os lugares da casa. Quando chega a hora do jantar, quero que tudo esteja no lugar. Quando não consigo isso, quero que os pratos estejam empilhados corretamente.
- Ah, e os rodapés? Limpo quando posso. (Ou vou esperar até que os pequeninos fiquem um pouco mais velhos para fazer um bom trabalho — afinal, eles estão mais perto do chão!)

Este, porém, é o meu problema: sinto-me confortável com as condições de minha casa, Mas, quando recebo uma visita, entro totalmente em pânico. Por quê? Porque não quero causar má impressão como dona de casa!

Imagine, portanto, o susto que levei quando meu pai apareceu, sem avisar, e começou a inspecionar minha casa. Acho que você não imagina. Ele andou de cômodo em cômodo, dizendo: "Ah, Chrystal!". E isso partiu de um homem que dificilmente levanta a voz (exceto para pregar, claro). Com certeza ele não escolheu um dia bom para me visitar. Esqueça todas as minhas regras de dona de casa. Ele nem sabia da existência dessas regras!

Na verdade, era segunda-feira. As segundas-feiras são sempre os piores dias. Ele falou sobre as manchas no carpete, os pratos na pia, o amontoado de coisas nos balcões e os cestos de roupa sem dobrar no corredor, e chegou até a dar uma olhada em meu quarto e viu a confusão lá dentro. Ao abrir a geladeira, meu pai resmungou ao ver coisas grudentas na prateleira de cima.

Quando percebi, estava andando pela casa atrás dele, explicando, explicando e explicando um pouco mais.

Sabe como a história terminou? Bom, o Senhor me enviou auxílio. Meu pai me disse carinhosamente que eu não devia tentar fazer aquilo tudo e que não havia nada de mal em pedir ajuda de vez em quando, principalmente no caso de uma mãe de cinco filhos. Ele se ofereceu para contratar os serviços de uma empresa limpadora e pediu que eu mandasse lavar os carpetes por sua conta.

Ora, sou muito orgulhosa. Detesto a ideia de ser incapaz de fazer tudo sozinha. Detesto aceitar ajuda. A verdade é que eu precisava do impulso que ele me deu e fiquei muito agradecida. Economizei horas (provavelmente dias) de trabalho e tive a oportunidade de manter o foco nas coisas que necessitavam de minha atenção pessoal.

Tive tempo para pôr nossa conta bancária em ordem e planejar as aulas. Em vez de lavar pratos, consegui dar alguns telefonemas importantes para empresas de seguro e médicos. Tive oportunidade de esfregar e lavar aquele grafite do lado externo de minha casa (uma longa história). Tive tempo de sobra para terminar cuidadosamente o planejamento do aniversário de minha filha. Uma empresa limpadora não poderia fazer aquele serviço, mas eu *podia*. Aquela injeção de tempo extra em minha agenda me deu ânimo para prosseguir. Comecei a atacar minha lista e dediquei-me a fazer tudo o que precisava ser *feito*!

> *Ora, sou muito orgulhosa. Detesto a ideia de ser incapaz de fazer tudo sozinha. Detesto aceitar ajuda.*

A ideia central dessa pequena ilustração não é dizer que, nesse caso, todos devem enfiar a mão no bolso e pagar alguém para limpar a casa o tempo todo ou de vez em quando. O princípio aqui é que nem você nem eu temos de fazer tudo sozinhas. A mulher de Provérbios 31 não fazia tudo sozinha.

Ela vivia em uma cultura na qual as crianças aprendiam desde cedo que era preciso fazer tarefas importantes. (Ponham as crianças para trabalhar!) Ela não descascava cenouras nem batatas sozinha. Provavelmente, não era todas as vezes que ia ao mercado sozinha para comprar alimentos e roupas. (Não há nada de errado em fazer compras pela internet, meninas!) O campo que ela comprou deve ter sido pesquisado e recomendado por um amigo confiável. (Usem a experiência e o conhecimento dos outros, queridas!) E havia "servas" trabalhando para ela. Mulheres, se vocês tiverem condições de cortar algumas despesas de seu orçamento (compras, celulares, TV a cabo, comer fora, cabeleireiro etc.) para poder contratar um serviço doméstico uma vez por mês — e assim ajudá-la a ser mais bondosa, mais gentil —, não meçam esforços, façam isso! A mulher de Provérbios 31 fazia muitas coisas, sim. Mas tinha quem a ajudasse. E isso faz toda a diferença do mundo.

A descrição da mulher de Provérbios 31 não deve nos fazer sentir culpadas. Está certo, talvez possamos concordar que ela era uma mulher que conseguia tudo... mas vamos concordar também que ela não conseguia tudo ao mesmo tempo. Provérbios 31.10-31 faz um resumo da vida inteira dela.

Ser uma mulher de Provérbios 31 não é algo inatingível, mas esse é definitivamente um modelo de mulher que podemos imitar se tivermos tempo para conhecê-lo. A mulher de Provérbios 31 mantém suas prioridades de maneira correta e em conformidade com as prioridades de Deus para ela. Essa mulher valoriza imensamente seus dons e usa tudo e todos à sua disposição. Ela é administradora. Não faz tudo sozinha.

Liberte-se dessa situação. Descubra o que Deus está fazendo, mergulhe no rio da vontade dele e flutue na correnteza de seus planos. Aceite a ajuda de uma amiga, de um membro da família ou da igreja, de uma colega de trabalho ou até de uma pessoa estranha quando lhe for oferecida. Você não precisa fazer tudo sozinha, ser tudo e ter tudo ao mesmo tempo. Há outras pessoas em sua casa, no trabalho, na igreja e em sua comunidade que também podem fazer um bom trabalho. Divida a carga. Precisamos nos livrar do fardo do "posso fazer tudo sozinha".

Por ter sido libertada da síndrome do "posso fazer tudo sozinha", estou ao seu lado para ajudá-la a abandonar aquelas expectativas fantasiosas. Descanse nas expectativas de Deus para você. Ele conhece suas necessidades e a ama muito.

Ele respondeu à minha oração no escuro daquela madrugada quando eu lhe disse que não podia fazer tudo. Deus disse: "Chrystal, eu sei disso. Faz muito tempo que você também sabe disso".

> *Por ter sido libertada da síndrome do "posso fazer tudo sozinha", estou ao seu lado para ajudá-la a abandonar aquelas expectativas fantasiosas.*

Lembra-se de Marta e Maria? É muito fácil para nós, mulheres, manter o foco no *fazer* em vez de manter o foco no que é mais importante: *estar* em um relacionamento vibrante com nosso Salvador.

É importante cozinhar e limpar a casa...

É importante criar os filhos...

É importante manter um bom casamento...

É importante trabalhar bem e seguir uma carreira profissional...

É importante colaborar em sua comunidade...

É importante ter sabedoria para lidar com as finanças...

É importante trabalhar na igreja...

É importante cuidar da saúde...

É importante passar um tempo de qualidade com os amigos e a família...

É importante aproveitar a vida...

Nada disso, porém, deve ser uma pedra de tropeço que a impeça de temer a Deus, de saber qual é a prioridade dele para você e de concentrar-se no que é importante para a eternidade.

Temer a Deus significa que o programa dele é o seu programa. O plano dele é o seu plano. E os propósitos dele são os propósitos que você deve cumprir na vida.

Temer a Deus significa que você entende perfeitamente que sua vida é, na verdade, a vida dele — que ele vive por seu intermédio.

Certa vez, uma sábia conselheira compartilhou este pensamento comigo:

> Todas as manhãs, antes de colocar os pés no chão, permaneça propositadamente na cama por um tempo mais longo do que o normal. Estique os braços em direção ao teto, ou melhor, em direção ao céu, e ofereça-se ao Senhor, convidando-o para mostrar-lhe o item mais importante da lista dele que você deve realizar hoje. Se não parar para perguntar a ele quais são as prioridades que ele tem para você, aquilo que é "bom" para você sempre interferirá no caminho do "melhor" de Deus. Ele precisa saber que você está disposta a ser interrompida, disposta a seguir outro caminho e disposta a ser surpreendida, se ele achar conveniente. Levante-se, então, e ande no conhecimento de que seu dia pertence ao Senhor.

Cada uma de nós vive uma estação diferente da vida, com responsabilidades, exigências e problemas diferentes. Mas, seja qual for a estação, Deus nos vê onde estamos e ouve nossas orações no meio da noite escura e sufocante — mesmo quando oramos com as mãos no quadril.

A melhor notícia de todas é que, quando você é uma mulher do reino que decide andar no temor do Senhor, ele se encarrega de encontrar e fornecer as ferramentas de que você necessita para realizar o trabalho dele!

Deus é seu maior ajudador

Talvez a ilustração de Chrystal lhe soe familiar. Talvez você já tenha estado nessa situação. Talvez tenha chegado a ponto de se perguntar por que deve fazer tudo isso. Mas a lição que Chrystal aprendeu e a ajuda que aceitou é uma lição para você também. Sabedoria significa reconhecer em que estação você se encontra e viver de acordo com ela. Nunca se envergonhe de admitir que não é capaz de fazer tudo sozinha. O principal é colocar Deus em primeiro lugar e acima de tudo, e a força dele lhe dará o que você necessita para tomar decisões que o glorifiquem.

Embora a mulher de Provérbios 31 seja um exemplo da mulher ideal, a realidade do dia a dia para as mulheres — seja cuidando dos filhos ou pais, seja trabalhando fora ou cuidando do lar e até de si mesmas — faz esse ideal parecer impossível. Mas o objetivo é permitir que o temor a Deus seja a maior influência em sua vida. Permita que suas ações, pensamentos e palavras reflitam um coração que deseja honrar a Deus acima de tudo. Se você fizer isso, Deus continuará a lhe dar o que você necessita para ser a mulher do reino que ele planejou que você fosse.

Assim como Chrystal, quando você clamar a ele, ele lhe enviará ajuda: "Levanto os meus olhos para os montes e pergunto: De onde me vem o socorro? O meu socorro vem do SENHOR, que fez os céus e a terra" (Sl 121.1-2).

Quando você lhe pede sabedoria, ele promete que a dará: "Se algum de vocês tem falta de sabedoria, peça-a a Deus, que a todos dá livremente, de boa vontade; e lhe será concedida" (Tg 1.5).

Deus nunca a abandonará. Ele não a abandonou. Na verdade, Deus quer vê-la transformada na mulher do reino que ele pretende que você seja, mais ainda do que você deseja ser. Deus tem um plano para você, e às vezes — eu sei — esse plano a faz sentir-se arrasada. Talvez você não saiba como dará conta da próxima semana, quanto mais do ano inteiro. Você está saturada, a energia está fraca e o chamado para ser uma mulher do reino parece inatingível.

Quero, no entanto, que você comece exatamente aqui, com este princípio simples de Provérbios 31: Tema a Deus em tudo o que fizer. Honre-o com seu coração, pensamentos, palavras e ações. Busque-o, olhe para

A reverência a Deus atua como alicerce sobre o qual seu valor como mulher do reino desabrochará.

ele e aceite a ajuda que ele põe em seu caminho. Leve a vida um dia por vez. Reverencie-o e respeite-o hoje. Tema-o em tudo. Demonstre esse respeito em tudo o que fizer. Assim, você estará a caminho de ser uma mulher do reino, pondo em prática o destino que o Senhor lhe traçou. A reverência a Deus atua como alicerce sobre o qual seu valor como mulher do reino desabrochará.

2

UMA MULHER ESPERANÇOSA

Há uma linda história sobre uma linda moça. Seu nome era Cinderela. Mas Cinderela se julgava feia. Morava com uma madrasta malvada e duas meias-irmãs também malvadas, e Cinderela passou a ser escrava delas. Cinderela era bonita, mas, por causa da influência de um ambiente perverso que a humilhava e a maltratava, reduzindo-a a nada, ela não se achava bela. O problema de Cinderela era que ela estava confinada àquele ambiente. Estava trancada na situação, e permaneceu ali por muito tempo.

Você conhece a história. Ouviu falar do baile e de como ela foi transportada milagrosamente até lá em uma carruagem. No baile, ela conheceu um príncipe. O príncipe viu Cinderela e a amou imediatamente. Mas o problema na história, como você sabe, foi que o relógio bateu meia-noite, e ela voltou a ser o que era. Voltou a ser escrava de uma família malvada.

A parte boa da história de Cinderela é que o príncipe nunca a esqueceu. Apesar de haver muitas pessoas no baile, Cinderela tinha algo que a destacava da multidão. Ela era especial. Era única. Era rara. Todas queriam o príncipe, mas o príncipe queria Cinderela.

No entanto, tudo o que ele tinha em mãos para encontrá-la era um sapato que ela deixara para trás. Se ele conseguisse encontrar o pé que cabia naquele sapato, encontraria Cinderela. Em razão disso, andou de casa em casa à procura de seu tesouro. Depois de uma busca longa e difícil, o príncipe finalmente a encontrou.

Há muitas mulheres hoje em dia vivendo como Cinderela. Recebem influência de uma madrasta malvada — o diabo, que tem duas filhas malvadas: o mundo e a carne. Vivendo como escravas em situação de cárcere, muitas mulheres sentem-se dentro de um cativeiro, sem nenhuma esperança. Talvez essa seja sua descrição, de uma forma ou de outra. Talvez você pense que não conseguirá sair do lugar em que se encontra. Talvez tenha um sonho vívido de como sua família seria, ou de como seriam sua carreira profissional ou seus relacionamentos. Talvez conheça o Príncipe da Paz, e ele a salvou muito tempo atrás, mas você voltou a se ver como prisioneira. Isso pode significar escravidão emocional, cativeiro espiritual ou cativeiro físico.

É fácil desanimar quando não conseguimos ver o fim da tirania. Quero, porém, lembrá-la de que há esperança. Jesus sabe exatamente onde você está e sabe há quanto tempo você está ali. Ele tem uma saída para essa falta de esperança que você sente.

Jesus sabe exatamente onde você está e sabe há quanto tempo você está ali.

Ele não quer apenas dar-lhe seu dinheiro, seu castelo ou sua carruagem. Ele quer levá-la à sua presença. Quer tirá-la do cativeiro e permitir que você viva na liberdade de sua presença e amparo. Quer mostrar-lhe sua nova posição e sua nova glória. Quer tirá-la do espírito de escravidão. Quer dar-lhe esperança.

Suponhamos que Cinderela tivesse desistido. Suponhamos que tivesse resolvido continuar trancada em casa. Ela nunca teria sido encontrada pelo príncipe. Nunca teria experimentado o sapato. Teria perdido a oportunidade de ser feliz para sempre.

Muitas de nós desistimos de Deus. Contamos o número de anos em que, aparentemente, nossas orações não foram respondidas, e decidimos que é tarde demais. Muitas vezes, por desistirmos de olhar para Deus, perdemos de vista o destino que ele tem para nós. Deixamos de ter esperança.

A Bíblia nos apresenta outra história de uma mulher limitada pela escravidão. Ela não era Cinderela, mas enfrentou lutas constantes que a impediram de viver seu destino verdadeiramente. A história daquela mulher que não era capaz de manter o corpo ereto encontra-se em Lucas. "E ali [na sinagoga] estava uma mulher que tinha um espírito que a mantinha doente havia dezoito anos. Ela andava encurvada e de forma alguma podia endireitar-se" (13.11).

Vemos aqui uma mulher que, por dezoito anos, teve um problema incurável que a mantinha encurvada. Da mesma forma que o corcunda de Notre-Dame, ela não podia endireitar o corpo. Seus olhos viam apenas o chão, porque ela não podia olhar para outro lugar. A passagem deixa claro que não havia nada que ela ou outra pessoa pudesse fazer para resolver a situação. Talvez o problema fosse um tipo de deformidade na coluna, algo que a fazia curvar-se.

Sua posição física não lhe permitia ver as coisas como realmente eram. A percepção dela própria e do mundo ao redor era distorcida. Seu problema não dizia respeito apenas à saúde: aquela condição se tornara um hábito simplesmente porque vinha ocorrendo por muito tempo. Dezoito anos é um período longo para alguém ter a vida prejudicada por algo que não merecia e não tinha poder para mudar. A vida daquela mulher deve ter sido permeada de desencorajamento dia após dia, semana após semana, mês após mês, ano após ano. É bem provável que tenha perdido a esperança.

Você é capaz de se identificar com ela — ou com Cinderela — de alguma forma? Talvez tenha passado por um sofrimento ou problema interminável, imaginando estar em um beco sem saída. Ou em uma condição que não apresenta nenhuma perspectiva de melhora. Embora o problema daquela mulher fosse físico, muitas provações podem forçar sua cabeça ou seu coração a olhar para baixo, tanto no sentido emocional como espiritual. Pode ter sido alguma coisa que seu pai disse ou fez, ou mesmo sua mãe. Pode ter sido algo que um irmão, ou uma irmã, descuidado tenha feito ou dito e que a manteve encurvada emocionalmente por muito tempo. Pode ter sido o marido, amigos ou pessoas no trabalho que a desqualificaram, impedindo que você seguisse seu destino como mulher do reino.

Você já leu livros que a ensinaram a sentir-se libertada, já participou de estudos bíblicos e conversou com conselheiros, pastores ou amigos; porém, por mais que se esforce, o problema ou o cativeiro continua a existir. A primeira coisa que quero lhe dizer é que você não está sozinha. Muitas mulheres sentem-se prisioneiras em razão de dor física, espiritual ou emocional. Pode ser que você tenha seguido a Palavra de Deus e honrado o Senhor com sua vida, mas parece que ele não cumpriu sua parte no trato. Seja o que for, você ficou abatida. E aquilo que a deixou abatida distorceu sua percepção não apenas de si mesma, mas também do mundo à sua volta.

Antes de desistir, olhe para cima.

Veja bem, ser uma mulher do reino não se resume a ir à igreja mais vezes ou fazer um número maior de coisas boas. Resume-se a estar em comunhão com aquele que dá esperança. Lucas 13 diz que a mulher com o corpo encurvado estava na sinagoga. Estava na igreja: "Certo sábado Jesus estava ensinando numa das sinagogas" (v. 10). Ao que tudo indica, havia dezoito anos que aquela mulher frequentava a igreja, cantava hinos, ouvia sermões, louvava a Deus, contribuía com dinheiro etc. No entanto, não conseguia libertar-se da escravidão que a encarcerava desde o dia em que aquela deformidade a atacara. Evidentemente, a igreja em si e por si não a

> *Ser uma mulher do reino não se resume a ir à igreja mais vezes ou fazer um número maior de coisas boas. Resume-se a estar em comunhão com aquele que dá esperança.*

ajudou. O sistema religioso em si e por si não a curou. Ela era uma deficiente física sentada no banco, uma mulher que aprendera a adaptar-se ao problema. Aprendera a acomodar-se para deixar as coisas simplesmente acontecerem.

A mulher do reino, porém, nunca se acomoda. Entendo que aquilo que aconteceu em sua infância ou relacionamentos — maus-tratos ou abusos — ou até com sua saúde ou finanças pode ter puxado você para baixo. E o máximo que você imagina poder alcançar é aprender a administrar o sofrimento. Talvez a situação pareça irreparável ou caótica. Afinal, dezoito anos é um tempo longo demais. Jesus, porém, tem mais para seu futuro que uma simples adaptação, da mesma forma que ele tinha mais para a mulher que não podia endireitar o corpo sozinha: "Ao vê-la, Jesus chamou-a à frente e lhe disse: 'Mulher, você está livre da sua doença'. Então lhe impôs as mãos; e imediatamente ela se endireitou, e passou a louvar a Deus" (Lc 13.12-13).

Ela frequentava a igreja havia muito tempo. Evidentemente, é possível ir à igreja e não conhecer Jesus. Alguém pode estar no lugar pretensamente certo e nunca ter tido um encontro com Jesus. Quando o encontrou, a mulher conheceu aquele que não se limitaria a realizar o que havia sido feito durante dezoito anos. Todos tinham lidado com o fruto, mas Jesus foi diretamente à raiz.

A história menciona duas vezes qual era a causa do problema daquela mulher. Ela foi mantida presa por Satanás (v. 16). Seu problema não era o ponto principal. O ponto principal era bem mais profundo do que o que ela enfrentava tanto física como emocionalmente.

Veja bem, é importante saber disso, porque, se o problema for causado pelo Inimigo, os médicos não conseguirão resolvê-lo. Se Satanás causar o problema, um sermão ou um hino não o resolverão. Nem será resolvido em conversas com amigos, nem afogado na bebida, nem coberto por um tipo de terapia a varejo que você não pode pagar. Se o problema for inerentemente espiritual, você necessita de solução espiritual.

Guarde isto na memória: eu disse que necessita de solução espiritual, e não de solução religiosa. Há uma grande diferença entre as duas.

Um aspecto importante de sua vida como mulher do reino é como você vê Jesus e como reage a ele. Será que ele está meramente vinculado a um ritual ou uma rotina religiosa? Ou você o vê como uma pessoa verdadeira, que anseia ter um relacionamento com você? Muita gente fica presa aos problemas porque tenta atacar as circunstâncias em vez de recorrer àquele que pode atacar a raiz. As circunstâncias podem ser o resultado de uma condição espiritual.

Se uma situação estiver se prolongando por muito tempo, é sinal de que você está atacando o fruto, e não a raiz. Enquanto puder mantê-la pensando no fruto, Satanás terá controle sobre você. Para ele, não faz diferença se você frequenta um programa de doze passos, conversa o tempo todo com amigos e amigas sobre esse assunto ou toma decisões em cada ano que se inicia. Não faz diferença porque ele sabe que tais soluções se atêm aos frutos, e não à raiz.

Se algo em sua vida não parece melhorar, por mais que você tente ou encare a situação, quero que olhe mais fundo do que consegue ver, porque há uma raiz espiritual que precisa ser atacada.

Quando a solução chega de repente

A solução daquela mulher chegou *de repente*. Os dezoito anos de luta para endireitar o corpo foram curados *imediatamente*. Veja, com Jesus não há necessidade de gastar muito tempo para mudar o modo como você vê as coisas.

Quero, porém, que você observe que Jesus fez um pedido a ela. Pediu que ela se aproximasse dele. Ela teve de sair do lugar em que se encontrava e ir até ele. Teve de abrir caminho até Jesus, pela fé, embora não pudesse endireitar o corpo o suficiente para vê-lo.

Ela não podia desistir nem sair dali. Teve de agarrar-se a um pouco de esperança, mesmo naquele cenário aparentemente sem solução. Ela não poderia dizer: "Bom, cheguei até aqui e é aqui que vou ficar". Apesar das dores nas pernas e nas costas (que sem dúvida eram constantes) e da vergonha de ser diferente de todos ali presentes, ela caminhou em direção a Jesus. Não ficou parada no lugar em que se encontrava. Colocou sua esperança na voz dele, e continuou a andar até aproximar-se.

Para experimentar a vitória espiritual ou o alívio de algo que a mantém de cabeça baixa ou com o coração abatido, a mulher do reino precisa aproximar-se de Jesus. Só ele tem autoridade sobre Satanás e seus asseclas. Jesus está sentado à direita de Deus nos céus. Isso não significa que Satanás não possa perturbá-la, porque ele pode. Significa que Satanás não pode perturbá-la quando Jesus ordena que ele pare.

Jesus desarmou Satanás quando morreu na cruz: "E, tendo despojado os poderes e as autoridades, fez deles um espetáculo público, triunfando sobre eles na cruz" (Cl 2.15). Em outras palavras, Jesus é o único que dá as ordens agora. Embora Satanás continue a ter uma grande dose de poder, Jesus tem autoridade sobre o poder de Satanás. Se você quer chegar à raiz do que a desencorajou e a abateu, só Jesus tem a autoridade de que você necessita para fazer isso. Se está à procura de soluções materiais quando a causa é espiritual, está indo na direção errada.

> *Para experimentar a vitória espiritual ou o alívio de algo que a mantém de cabeça baixa ou com o coração abatido, a mulher do reino precisa aproximar-se de Jesus.*

A distração chamada desânimo

Uma das maneiras mais fáceis de desviar o cristão de seu destino pessoal é o desânimo. Em minhas sessões de aconselhamento, é comum ver pessoas lutando contra a falta de esperança. Quando você tem a sensação de que perdeu a esperança — está cansada e com vontade de desistir —, sua cabeça e sua perspectiva só veem o que está embaixo. Os ombros caem. E você esquece que há um futuro querendo ser alcançado.

O melhor conselho que posso lhe dar se você estiver sem esperança é ouvir Jesus. Ouça-o chamar seu nome. Assim como fez a mulher que não conseguia endireitar o corpo, não desista. Ele não quer que você desista. Quer que você se aproxime dele para que ele imponha as mãos sobre você e mude sua vida *de repente*.

Se Jesus não responder às suas orações imediatamente, saiba que ele realiza a cura de quatro maneiras. Primeira, ele pode curá-la de modo sobrenatural. Segunda, pode usar meios humanos para remediar sua condição. Terceira, pode dar-lhe força para lidar com sua condição até que ele a corrija. Quarta, pode capacitá-la a perseverar durante o sofrimento neste mundo até que sua cura completa se manifeste no céu.

É fácil querer desistir; eu entendo. As lutas que você enfrenta são legítimas. Se você conhece qualquer uma das batalhas que citei aqui, quero encorajá-la a não desanimar. A mulher do reino fixa o olhar em Jesus, e ele a fortalece para que seja aquilo para o que foi criada.

Crônicas de Chrystal

Gosto de fazer novas experiências, e fico entusiasmada quase imediatamente quando estou aprendendo algo novo. Por toda a minha casa há lembretes de coisas que decidi fazer, mas que não foram terminadas.

Dois anos atrás, comecei a fazer um curso de confecção de acolchoados com minha filha. A colcha está guardada no armário — faltando pouco para ser terminada.

Comecei a organizar três livros de recortes de jornais e revistas: um para meu filho Jesse, um para meu filho Kanaan e um para a família toda. Nenhum tem mais de seis ou oito páginas.

Comecei a limpar meu armário mais vezes do que sou capaz de contar. Faz três anos que não mexo no fundo daquele móvel.

Tenho uma pilha de coisas para vender pela internet. A pilha está aumentando mais rápido que a venda desses materiais.

Sou apaixonada por livros. No entanto, compro mais do que sou capaz de ler. O fato de morar perto da maior livraria dos Estados Unidos só piora a situação — o mesmo vale para minhas visitas às feiras anuais (sim, no plural) de livros para professores domésticos. Acrescente a isso as leituras que tenho de fazer para acompanhar os estudos de meus filhos.

Comecei a frequentar mais estudos bíblicos do que sou capaz de lembrar. A Bíblia de estudo *Believing God* [Crendo em Deus], de Beth Moore, continua na prateleira desde que comecei a estudá-la, dois anos atrás. Faz dois verões que ela consta de minha lista de "coisas para fazer".

Embora eu goste da minha vida e não me sinta frequentemente aborrecida ou entediada, não posso dizer que termino tudo o que começo.

Tenho de admitir que esse déficit de atenção não resulta simplesmente de uma vida adulta complexa nem é consequência de amnésia provocada pela maternidade! Desde a adolescência, quase sempre fico tão concentrada em uma situação difícil que chego a abandoná-la e caio na tentação de desistir na metade do caminho. Provavelmente, a melhor ilustração disso tenha ocorrido durante as atividades de atletismo com as quais me envolvi, no ensino médio.

Quando cursava o colégio, eu corria em pista de atletismo. Embora meu desejo verdadeiro fosse ser velocista e fazer parte do grupo de elite da corrida de quatrocentos metros, confesso que não era rápida o suficiente. Então, fui inscrita em corridas de longa distância. Em vez de fazer parte da equipe dos quatrocentos metros, eu tinha de correr o percurso todo sozinha. Não é necessário dizer que aquilo foi uma luta para mim. Os atletas da modalidade de corrida de cem metros eram os mesmos que participavam das corridas de quatrocentos metros. Em muitas competições de corridas e saltos, eu me sentia desanimada, pois me acomodara à ideia de ter de ficar no fim do pelotão.

Minha treinadora sugeriu, então, que eu tentasse a corrida de oitocentos metros. Já que eu não levava jeito para ser velocista, minha treinadora deve ter imaginado que eu levava jeito para ser persistente.

Já que eu não levava jeito para ser velocista, minha treinadora deve ter imaginado que eu levava jeito para ser persistente.

Eu detestava aquela modalidade de corrida. Penso que teria preferido ficar em último lugar em uma corrida de curto percurso a estar em posição melhor em uma corrida que implicava tortura emocional e física.

Detestava sentir que meus pulmões iam pular para fora da cavidade de meu peito, e odiava a sensação escaldante na sola dos pés sobre o asfalto. A cabeça e as pernas doíam e os braços pareciam estar em brasas. Eu me sentia infeliz. E isso acontecia toda vez que eu participava de competições de corrida e salto. Os treinamentos impunham uma tortura inigualável.

Tive de correr um percurso maior e mais rápido para preparar-me para uma apresentação. Os oitocentos metros transformaram-se em mais de três quilômetros para treinamento de resistência, e passei a fazer oito corridas sequenciais de duzentos metros cada uma, para melhorar a velocidade. Mas eu queria correr. Esforcei-me para correr bem, mas queria correr melhor; portanto, continuei a treinar mesmo quando queria desistir.

Há uma história oculta naqueles anos de participação em corridas, algo que ilustra um tempo em que eu queria imensamente desistir, porém não o fiz. Foi uma época em que perdi toda a esperança, mas encontrei uma forma de ir em frente.

Contamos essa história repetidas vezes durante as refeições em família.

Meu pai veio para assistir à minha corrida de oitocentos metros. Comecei bem e estabeleci um ritmo bom. Lembro-me de ter feito a primeira curva e pensado que estava cheia de energia e que minha respiração tinha uma cadência satisfatória.

Mesmo depois da curva onde tive a vantagem de estar na pista interna, eu continuava em primeiro lugar. Comecei, então, a ficar um pouco entusiasmada. Lembro-me de ter ouvido os passos das moças atrás de mim e pensado que tinha a chance de vencer.

Quando venci a segunda curva, a adrenalina começou a fluir, e meu coração bateu um pouco mais rápido. Para minha surpresa, continuava no controle de meu corpo, impulsionando-o para a frente a cada passo e a cada movimentação dos braços. Sentia-me poderosa.

Na segunda reta, não posso expressar com palavras o orgulho que tomou conta de mim quando ouvi a voz de meu pai na arquibancada, gritando: "Corra, Chrystal, corra, Chrystal! Você vai conseguir! Não desista. Ganhe velocidade... Corra... Corra... CORRA!".

Na terceira curva, ninguém me havia passado ainda. Eu tinha uma chance, uma chance *verdadeira*, de que daquela vez voltaria para casa com uma medalha.

No entanto, antes que eu percebesse, aquela sensação conhecida apareceu. Meus pulmões começaram a arder. As pernas pesavam como chumbo. Eu queria que meus braços se mexessem mais rápido, com mais força.

Continuava em primeiro lugar.

De repente, porém, toda a minha força saiu pelas narinas; a capacidade de controlar a respiração e o ritmo desapareceu. Meu corpo e minha carne assumiram o controle enquanto eu ia me dando conta de que talvez não cruzasse a linha de chegada.

Eu ouvia, a distância, meu pai continuando a gritar: "Chrystal, não desista! Vá em frente! Vamos... Vamos... Continue a correr... Não desista. Você vai conseguir!".

Dessa vez, meus braços e pernas não deram atenção àquelas palavras. Agora *eles* é que estavam no controle da cena.

Ao ouvir o som dos passos da moça mais próxima de mim, notei que ela aumentava a velocidade. Ela estava muito perto de mim e também viu a linha de chegada se aproximando. Na metade da reta, ela me passou e levou consigo a última gota de determinação de que eu dispunha. Eu perdi a liderança e ouvi, ao longe, um grito de compaixão por mim.

"Aaaaah, Chrystal!", meu pai disse. Eu sabia o que ele queria dizer com aquelas palavras. Eu havia desistido.

Um segundo par de pés aproximou-se de mim. Quando digo que, naquela altura, eu mal conseguia andar, é *exatamente* o que quero dizer. Além de estar perdendo, eu não sabia se terminaria a corrida.

Tentei fixar os olhos na linha de chegada, mas ela parecia distante demais. Olhei para o chão. Minha cabeça pendeu para baixo. Meu corpo, antes ereto, começou a curvar-se.

Os últimos dez metros até a linha de chegada pareceram levar três horas. Tudo se movimentava em câmera lenta. As vozes da multidão eram incompreensíveis, com exceção de uma. Ouvi a voz dele, mais alta que nunca. Ele sabia que eu estava abatida. Sabia que eu imaginara chegar em primeiro lugar. Ao ver minha postura, ele sabia que eu perdera a esperança de cruzar a linha de chegada. Mas ouvi seus gritos: "Corra, Chrystal! Você está quase chegando! Corra! Vai conseguir!".

Quando meu pé direito cruzou a linha branca de chegada, parei de repente. Conseguira terminar a corrida! Não havia desistido! E ganhei a medalha de terceiro lugar.

Naquele dia, verdadeiramente senti que estava pronta para desistir (e, todas as vezes que meu pai repete essa história, minha família inteira ri). Simplesmente parei de dar tudo de mim quando a primeira moça me passou. Minha carne estava fraca, meu espírito estava abatido, e eu não encontrei força suficiente para continuar. Pelo menos não por conta própria.

Aprendi naquela experiência que, da mesma forma que precisamos manter o foco, ser diligentes e ter autocontrole para terminar a corrida, às vezes nós também precisamos de alguém para nos encorajar, alguém que acredite que atravessaremos a linha de chegada, ainda que deixemos de acreditar em nós.

Não há como viver sem cometer erros. Cada experiência mostra que Deus pode nos usar para sua glória. Ele entrelaça o nosso lado bom com o lado não tão bom e faz uma linda tapeçaria. Ah, como desejo evitar armadilhas desnecessárias, causadas por desistências precoces!

Quero, portanto, ser uma daquelas pessoas que percorre a distância como uma mulher do reino. Não quero deixar fios soltos, cantos sem polimento e tarefas inacabadas. Quero terminar, e terminar bem. Fico triste ao pensar nas vezes em que não fui até o fim.

> *Da mesma forma que precisamos manter o foco, ser diligentes e ter autocontrole para terminar a corrida, às vezes nós também precisamos de alguém para nos encorajar.*

Quando olho para todos aqueles projetos e tarefas que ainda não completei, fico triste ao pensar que cairei na armadilha de me distrair com uma atividade que cruze meu caminho em vez de dar prioridade ao que merece prioridade.

O que posso fazer? Como posso mudar?

Hebreus 12.1 diz: "Portanto, também nós, uma vez que estamos rodeados por tão grande nuvem de testemunhas, livremo-nos de tudo o que nos atrapalha e do pecado que nos envolve, e *corramos* com perseverança a *corrida* que nos é proposta".

Como posso distinguir qual é a minha corrida? Somente Deus pode me dizer. Como receber essa informação de Deus? Tenho de passar um tempo com ele. Tenho de vê-lo de uma forma que transcenda a religião ou um sistema de certos e errados. Jesus é verdadeiro. O relacionamento que ele anseia ter comigo é verdadeiro. E só ele pode me ajudar a levantar a cabeça quando o cansaço da vida me faz admitir a derrota. Somente sua voz é importante quando estou pronta para desistir.

Meu pai apresenta um argumento interessante quando fala sobre Hebreus 12.1. O versículo não diz que devemos nos livrar dos pecados (plural) que nos atrapalham e nos envolvem. Diz que devemos nos livrar do *pecado* (singular). Não devemos ficar sobrecarregados tentando consertar isso e aquilo porque, se não fizermos a coisa principal corretamente, o resto nunca ficará alinhado. O pecado a que o versículo se refere é o pecado da incredulidade, da falta de fé. Quando Jesus disse à mulher encurvada que ela deveria ir até ele, ela poderia ter dito: "Não". Poderia ter dito que já havia tentado frequentar a igreja. Poderia ter dito que estava cansada. Poderia ter dito que sentia dor nas costas. Poderia ter dito que não queria ter mais uma decepção. Não valeria a pena tentar. Ao contrário, ela demonstrou fé, apesar de uma vida inteira de desalento.

A vida é dura. A vida é difícil. A vida é *real*. Mas, no dia em que participei daquela corrida de oitocentos metros, outras pessoas também correram. A corrida foi difícil para todos. Minhas pernas não foram as únicas que ficaram como brasas. Meus pulmões não foram os únicos que arfaram. Minhas pernas não foram as únicas que ficaram pesadas e quase sem movimento. Mas a boa notícia é que todos nós terminamos a corrida.

Não me considero uma pessoa covarde. No entanto, distraio-me com facilidade. Não é essa a arma de Satanás? Quando não nos convence a desistir, ele nos mantém distraídas.

Irmãs, todas estamos participando de uma corrida, e Jesus está chamando cada uma de nós para correr com ele, para não cair na armadilha da distração, de modo que, assim, tenhamos um propósito na vida. Ele não quer que participemos da corrida com a cabeça baixa. Quer que fixemos os olhos nele, para endireitarmos o corpo e ouvirmos sua voz a nos animar. Você consegue ouvi-lo? Ele está chamando seu nome. Está na torcida, dizendo que você vai conseguir, encorajando-a durante a corrida. Você não precisa desistir. Não tem de olhar para o chão.

Servimos a um Deus que sabe que estamos cansadas. Ele é o mesmo Deus que viveu neste mundo, revestido de carne, participando da corrida que lhe foi proposta, tentando recuperar o fôlego e suportando fadiga física, emocional e mental. Tenha coragem. Além de nos identificar enquanto corremos, ele oferece poder e força, se estivermos dispostas a recebê-los, para que participemos também de nossa corrida.

Seja corajosa e confiante

Sempre me lembrarei daquele dia em que aplaudi Chrystal enquanto ela corria. A história dela nos lembra que, mesmo quando a vida se torna difícil, temos Alguém ao nosso lado. Ele pede a cada um de nós que continuemos a avançar e não desistamos. A morte de Jesus na cruz torna você vitoriosa em tudo. Ele não morreu apenas para que você fosse capaz de cuidar da confusão ou da infelicidade. Ele morreu para lhe dar vida, e vida plena.

Uma última lição extraída da história da mulher encurvada encontra-se em Lucas 13.16, quando Jesus apresenta uma revelação muito importante sobre os direitos da mulher do reino: "esta mulher, *uma filha de Abraão...*". Você entendeu? A mulher que Jesus curou era uma filha de Abraão. Deus havia feito uma aliança com Abraão muito tempo antes (conforme registrado em Gênesis), de que abençoaria esse patriarca e seus descendentes. A promessa de Deus a Abraão aplicava-se também aos filhos de Abraão.

Aquela mulher tinha ligação com Abraão; portanto, estava ligada às promessas feitas por ocasião dessa aliança. Tinha o direito de ser abençoada. O mesmo aplica-se a você. Por crer em Jesus Cristo, você é uma filha de Abraão (Gl 3.29); assim, os direitos foram transferidos a você mediante a aliança. Você, mulher do reino, está autorizada a exercer plenamente esse direito. Não está destinada a ter uma vida de decepção e falta de esperança.

Seja corajosa e confiante, e ande de cabeça erguida.

> *Você, mulher do reino, está autorizada a exercer plenamente esse direito. Não está destinada a ter uma vida de decepção e falta de esperança.*

3

UMA MULHER EXCELENTE

A maioria de nós gosta da palavra *excelente*. Nem sempre dizemos isso abertamente, mas nossas ações revelam essa nossa preferência. Por exemplo, queremos receber um tratamento médico excelente. Não queremos ouvir um médico dizer que não sabe qual é o nosso problema e que gostaria de nos submeter a uma cirurgia para descobrir o que há de errado conosco. Quando se trata de bem-estar físico, queremos um médico que saiba o que está fazendo. Queremos um médico excelente.

Quando vamos a um restaurante, não queremos um prato com ingredientes misturados ao acaso. Queremos que a refeição seja preparada com excelência. Não queremos ser atendidos por um garçom que masque chiclete enquanto atira nossa comida na mesa. Queremos um serviço excelente.

E é claro que não queremos voar em uma aeronave que não tenha sido fabricada de modo excelente. Não queremos que, antes da decolagem, o comandante diga pelo alto-falante que algumas partes da asa foram coladas com fita adesiva. Isso seria assustador, e a maioria dos passageiros — senão todos — desembarcaria imediatamente. Quando voamos, queremos uma aeronave em excelente estado de conservação.

Quando gastamos dinheiro para comprar um carro, queremos que tenha sido produzido de modo excelente. Não queremos levá-lo à oficina todas as semanas para consertar peças quebradas. Queremos um carro excelente.

Apesar de querermos que tudo o que recebemos seja excelente, nem sempre somos excelentes naquilo que fazemos. No entanto, a mulher do reino entende que sua posição privilegiada exige que ela seja um exemplo de vida mais alto que o estabelecido pela cultura. A mulher do reino sabe que Deus ordena que ela seja uma mulher excelente.

Ser uma mulher excelente significa simplesmente viver da melhor forma possível e dar o melhor que você tem. Quando nos apresentarmos perante Deus no tribunal de Cristo, ele procurará excelência em nós. Lemos isso na carta de Paulo à igreja de Corinto: "Sua obra será mostrada, porque o Dia a trará à luz; pois será revelada pelo fogo, que provará a qualidade da obra de cada um" (1Co 3.13).

No dia em que nos apresentarmos perante Deus, o Senhor não nos perguntará quantas boas ações fizemos por ele, mas julgará a excelência de nosso trabalho. Você costuma oferecer sobras a Deus ou vincula qualidade à sua vida, mesmo nas tarefas seculares que se acumulam na rotina de uma mulher? Saiba que seus dias são repletos de coisas que as outras pessoas talvez não vejam — coisas que precisam ser feitas, mas pelas quais ninguém agradece, tarefas que não se sobressaem. É fácil não dar atenção à qualidade daquilo que fazemos. Mas Deus quer que você se esforce para atingir um patamar mais alto. Ele deseja excelência em tudo o que você faz. E essa excelência não passará despercebida.

Deus quer que você se esforce para atingir um patamar mais alto. Ele deseja excelência em tudo o que você faz.

Na história bíblica de Rute, lemos que aquela mulher tinha um trabalho considerado muito simples e rotineiro. Ela viajou com a sogra para uma nova terra. Por ter enviuvado, não tinha dinheiro e nenhuma propriedade e, para ganhar a vida, rebuscava espigas, isto é, recolhia as espigas que os ceifeiros deixavam para trás após a colheita. Provavelmente, Rute nunca imaginou que alguém prestaria atenção ao cuidado que ela dedicava àquele trabalho, mas ela o realizava de modo excelente. E por causa disso — tudo em sua vida mostrava excelência — ela foi recompensada ao casar com um homem chamado Boaz, tornando-se a bisavó do rei Davi, um dos antepassados diretos de nosso eterno Rei Jesus Cristo.

A passagem a seguir revela o caráter de Rute:

> Boaz lhe respondeu: "O Senhor a abençoe, minha filha! Este seu gesto de bondade é ainda maior do que o primeiro, pois você poderia ter ido atrás dos mais jovens, ricos ou pobres! Agora, minha filha, não tenha medo; farei por você tudo o que me pedir. Todos os meus concidadãos sabem que você é *mulher virtuosa*".
>
> Rute 3.10-11

A reputação de Rute deixou bem claro seu caráter e propósito. Ela foi uma mulher excelente em suas decisões e ações. Em consequência disso, Deus tirou-a da posição inferior em que se encontrava e colocou-a em um lugar de honra.

Excelência é uma questão espiritual. Difere de sucesso porque este, em geral, tem a ver com o dinheiro que ganhamos, com o emprego que temos ou com o prestígio que recebemos. Sucesso tem a ver com alcançar um nível que o mundo reconhece como algo coroado de êxito. O sucesso pertence a poucas pessoas, mas a excelência está ao alcance de todos.

A excelência não está relacionada ao seu desempenho em relação aos outros. Está relacionada ao seu desempenho em relação ao seu próprio potencial. Em outras palavras, excelência tem a ver com o destino de Deus para você. Você está avançando progressivamente em direção ao que Deus deseja para sua vida? Está definindo suas decisões, pensamentos e ações pelo padrão de qualidade e autenticidade mais alto que tem a oferecer? Essa é a medida da excelência.

Deus a chamou, da mesma forma que chamou Rute, para ser uma mulher de qualidades excelentes. Talvez você não imagine que alguém a esteja observando ou, quem sabe, pense que aquilo que faz é muito insignificante em comparação com os valores de nossa cultura. Mas, em algum campo obscuro, enquanto recolhia as sobras de outras pessoas, Rute conquistou uma reputação de mulher de qualidades excelentes. Deus a usou e se agradou do que viu. E também a agraciou diante dos olhos de todos os que a viram.

Paulo diz que tudo em nossa vida deve ser marcado pela excelência: "Quanto ao mais, irmãos, já os instruímos acerca de como viver a fim de agradar a Deus e, de fato, assim vocês estão procedendo. Agora lhes pedimos e exortamos no Senhor Jesus que cresçam nisso cada vez mais" (1Ts 4.1).

A excelência deve ser seu objetivo como mulher do reino. Provérbios nos lembra que a mulher exemplar, ou a esposa exemplar, é um tesouro raro do mais alto valor: "Uma esposa exemplar; feliz quem a encontrar! É muito mais valiosa que os rubis" (31.10).

A excelência de Deus deve nos servir de exemplo. "Cantem louvores ao SENHOR, pois ele tem feito coisas gloriosas" (Is 12.5). Excelência é o padrão que você deve almejar por ser filha de Deus, feita à imagem dele.

Excelência *não significa* perfeição. *Significa fazer tudo o que puder com tudo o que possui naquele momento.*

Tenha em mente que *excelência* não significa *perfeição*. Significa fazer tudo o que puder com tudo o que possui naquele momento. Nunca esquecerei o dia em que Chrystal participou daquela corrida de oitocentos metros. Senti muito orgulho dela. Chrystal começou tão rápido que eu sabia que, provavelmente, ela se cansaria antes de alcançar a linha de chegada. Mas admirei sua tenacidade e seu empenho, e ela aprendeu uma lição importante sobre manter o ritmo, bem como o valor de terminar a corrida. O fato que mais me causou orgulho foi que, quando ela viu as duas outras moças passarem à sua frente e sentiu que seu corpo gritava para desistir, ela não desistiu. Continuou a correr. Não permitiu que a realidade do passado — o lado bom (estar bem na frente no início da corrida) ou o lado mau (ser ultrapassada por duas participantes da corrida) — exercesse influência no presente. Chrystal manteve o foco no lugar em que ela se encontrava naquele exato momento.

Paulo escreveu uma das passagens mais extraordinárias da Bíblia acerca da perseverança que supera contrariedades e desencorajamento. Paulo, um líder na fé cristã, falou de sua jornada de fé quando escreveu o seguinte:

> Não que eu já tenha obtido tudo isso ou tenha sido aperfeiçoado, mas *prossigo* para alcançá-lo, pois para isso também fui alcançado por Cristo Jesus. [...] esquecendo-me das coisas que ficaram para trás e avançando para as que estão adiante, *prossigo* para o alvo, a fim de ganhar o prêmio do chamado celestial de Deus em Cristo Jesus.
>
> Filipenses 3.12-14

Este é o segredo para uma vida como mulher do reino de qualidades excelentes: esquecer o passado e ter uma direção clara. Se quiser ter a vida de uma mulher de qualidades excelentes, você precisa esquecer o ontem. Não importa se foi bom, mau ou feio; se aconteceu ontem, é preciso deixar para trás. Quando você carrega o ontem por mais tempo do que deveria, prejudica o hoje. E, se prejudicar o hoje, estragará o amanhã.

Se alguém deveria sentir-se refém do passado, esse alguém seria Rute. Ela sabia o que era ser jovem e casada, ter alimentos em profusão e viver em uma cultura que a entendia e aceitava. Sabia também o que significa perder o marido e deixar a terra natal sem ter nada em seu nome. Mas, se Rute tivesse se concentrado continuamente nos acontecimentos bons e maus de outrora, não teria tido condições de ser excelente no hoje.

Rute foi uma mulher de qualidades excelentes porque se recusou a ser refém do passado. Ela soube perseverar.

Você deve aprender com o passado, mas não deve viver no passado. E, para tirar o ontem do hoje, é preciso fazer o que Paulo disse, ou seja, manter o foco no amanhã: "esquecendo-me das coisas que ficaram para trás e avançando para as que estão adiante, *prossigo* para o alvo".

Enquanto dirige seu carro, ao ver no espelho retrovisor algo que lhe chama a atenção, você reduz a velocidade. Sua atenção se concentra no que está atrás em vez de se fixar no que está adiante. Em consequência disso, você tira o pé do acelerador e diminui a velocidade. No entanto, quando mantém o foco no que está adiante, você consegue manter o pé firme no acelerador e seguir em frente. Ao fazer isso, o que está atrás se torna cada vez menor até desaparecer totalmente. Você não conseguirá se livrar do ontem se continuar a falar nele o tempo todo; você se livrará de seus efeitos apenas quando seguir em frente.

> *Você não conseguirá se livrar do ontem se continuar a falar nele o tempo todo; você se livrará de seus efeitos apenas quando seguir em frente.*

Deus disse a Israel que tinha um futuro para aquele povo, e que esse futuro seria bom, pleno de leite e mel. Isso significava um futuro abundante. Deus libertou os israelitas do Egito. O Egito, porém, nunca saiu dos israelitas. Eles continuaram a olhar para trás, para o que possuíam. Viveram o ontem. Na verdade, discutiram o ontem por tanto tempo e com tanta frequência que Deus lhes deu mais quarenta anos no deserto, para que pudessem discutir um pouco mais. Por permanecerem escravos do ontem, os israelitas deixaram de ter uma vida excelente. Um espírito excelente é um espírito que avança, cresce, aprende, arrepende-se e aproveita ao máximo o dia que lhe foi concedido.

Um exemplo de mulher excelente

Outro problema que, em geral, interfere no caminho de uma vida excelente ocorre quando vivemos para o ser humano mais que para Deus. Seguimos os parâmetros das pessoas, e não os parâmetros divinos. Trabalhamos para as pessoas que nos rodeiam e para exaltar nossa família, e agimos e fazemos escolhas com base na maneira como as pessoas vão reagir, sem pensar se Deus vai dizer que somos excelentes. É fácil olharmos somente para aquilo que podemos ver, mas Deus vê tudo. Deus vê a tarefa mais insignificante, algo que outras pessoas jamais notariam. Paulo escreveu: "Assim, quer vocês comam, bebam ou façam qualquer outra coisa, façam tudo para a glória de Deus" (1Co 10.31).

Insista em ter qualidades excelentes. Não pense no que você pode fazer para ser aceita pelos outros. Não se permita ter pensamentos descuidados. Pergunte a si mesma se Deus está aplaudindo tudo o que você faz. Pense em você da maneira como Deus a vê: como uma mulher destinada a ter qualidades excelentes.

Repetindo, excelência não é perfeição. Ao contrário, a excelência define seu movimento. Você está se movimentando para a frente? Está progredindo para ser mais e mais semelhante a Jesus Cristo? Está investindo no momento em vez de ser prisioneira do ontem ou de estar preocupada com o amanhã? Excelência significa passar para o próximo nível. Aparece mais nas realizações pequenas que nas realizações grandes. É um padrão recorrente, um modo de vida.

Paulo às vezes é criticado por sua visão a respeito das mulheres. Ele não media palavras e não fez muitos amigos com seus escritos sobre o gênero feminino. Mas uma das maiores homenagens que ele apresentou em seus escritos foi dirigida à mulher de qualidades excelentes. No último capítulo de sua admirável carta aos Romanos, Paulo condensou seus pensamentos. E, ao fazer isso, enviou saudações e felicitações àqueles a quem amava. Ele terminou sua declaração conclusiva quando escreveu: "O Deus da paz seja com todos vocês. Amém" (15.33).

Na declaração seguinte, quando começam as saudações de despedida, ele concentrou-se em uma mulher do reino chamada Febe. Há apenas dois versículos a respeito de Febe na Bíblia, mas eles falam muito sobre as virtudes dessa mulher. Febe não está oculta no meio de uma lista de nomes. Paulo a destaca logo no início:

> Recomendo-lhes nossa irmã Febe, serva da igreja em Cencreia. Peço que a recebam no Senhor, de maneira digna dos santos, e lhe prestem a ajuda de que venha a necessitar; pois tem sido de grande auxílio para muita gente, inclusive para mim.
>
> Romanos 16.1-2

A vida virtuosa de Febe, assim como a vida virtuosa de Rute e da mulher de Provérbios 31, deve ser a sua também. É o seu chamado mais sublime como mulher do reino, porque, por meio de uma vida virtuosa, você glorifica a Deus. As pessoas de vida virtuosa que se concentram em Deus não precisam ser cutucadas para trabalhar satisfatoriamente. Elas cumprem sua responsabilidade com disposição porque estão trabalhando para o Senhor.

As pessoas de vida virtuosa que se concentram em Deus não precisam ser cutucadas para trabalhar satisfatoriamente. Elas cumprem sua responsabilidade com disposição porque estão trabalhando para o Senhor.

Crônicas de Chrystal

Pouco tempo atrás, ocorreu-me que, quando me disponho a limpar a cozinha pela enésima vez, não gosto dessa tarefa. E mais: muitas vezes nas últimas semanas, meses e anos, sinto a mesma coisa sobre algumas de minhas responsabilidades como mãe.

A verdade é que há pouco espaço para o egoísmo na missão do servo. Se eu optar por lamentar meu destino, a situação vai piorar, e terei mais condições de sucumbir à autopiedade. Se eu não lavar a louça, ela se empilhará na pia. Se não lavar a roupa, não teremos roupas limpas. Se não pagar a conta, a energia elétrica será cortada.

Não posso sequer imaginar como a vida seria se eu fizesse apenas as coisas de que gosto. Descobri, portanto, que o caminho para ser uma mulher do reino não é um caminho para dondocas nem para mulheres sem determinação.

Descobri que meus melhores dias são aqueles em que saio cedo da cama para me preparar antes que os outros se aglomerem à minha volta, e quando vou me deitar depois de todos da casa, para ter certeza de que começarei bem o dia de amanhã. Acredite em mim, não gosto de ser a primeira a levantar da cama e a última a dormir. No entanto, isso parece ser a solução para um dia tranquilo.

Hoje, por exemplo, comecei a preparar o jantar logo depois do café da manhã. Coloquei o frango na panela especial para cozimento lento em fogo mínimo, a fim de conseguir preparar o jantar em trinta minutos e servi-lo às 18h30. Preparar o molho, assar as batatas, cozinhar o arroz e misturar os ingredientes da salada são tarefas que faço sem nenhum esforço. Elaborei o cardápio para o restante da semana. Fiz uma lista de compras antes de ir ao supermercado, e em meia hora já estava de volta. Vesti uma roupa simples (sem nenhum requinte) antes de todos chegarem, para estar bem aprumada quando a campainha tocasse.

Há pequenas coisas pelas quais luto a fim de ser uma mulher de qualidades excelentes, e o retorno é maravilhoso quando suspiro de alívio no fim do dia por ter feito tudo o que podia.

Um dia como o de hoje brilha em comparação com os outros em que me sinto abatida, atrasada, faminta, agitada e tensa. Na maioria das vezes, mergulho na autopiedade diante dos problemas que uma mulher do reino enfrenta ao ser arrastada em várias direções e solicitada a atender às necessidades de tantas pessoas.

A decisão de assumir as responsabilidades de meu lar e minha família, como toda mulher do reino deve fazer, e de não me curvar sob o peso das tarefas tediosas deste mundo torna meu dia muito mais fácil de ser conduzido.

Se eu decidir olhar para o passado durante muito tempo, descobrirei coisas que gostaria de ter feito melhor e me encolherei diante das que optei por não fazer. Quando olho no espelho retrovisor do ontem, vejo uma quantidade enorme de "teria", "poderia" e "deveria".

Mas esse tempo já passou. Já era. Usei-o como achei que deveria usá-lo, e não posso voltar.

> *A decisão de assumir as responsabilidades de meu lar e minha família, como toda mulher do reino deve fazer, e de não me curvar sob o peso das tarefas tediosas deste mundo torna meu dia muito mais fácil de ser conduzido.*

Posso, porém, dar um passo à frente e ter um amanhã mais radiante.

Sou abençoada diariamente por estar viva, e isso me dá mais um dia para prosseguir e fazer o melhor com aquilo que possuo; mais um dia para viver como uma mulher de qualidades excelentes. Não, a maioria das pessoas nunca saberá quantas roupas eu lavo por ano, quantas sujeiras no chão limpo, quantas lições preparo em casa e quantas notas dou a elas. Mas Deus sabe. Ele conhece cada movimento meu e me criou para que eu sempre me movimente segundo um espírito que vise à excelência. Ele sabe o mesmo a seu respeito.

Em geral, a vida de uma mulher — jovem ou idosa, casada ou solteira — apresenta oportunidades para realizar tarefas que ninguém agradece. A tentação é a de desistir ou passar por cima delas. Mas, quando começo a pensar assim, lembro-me de minha tia e do exemplo de uma vida exemplar que ela sempre teve. Nunca se casou. Dedicou-se apenas ao Senhor e durante muitos anos abraçou a missão de ser a "titia" de suas sobrinhas e sobrinhos (e agora de seus sobrinhos-netos). Dedicou-se também a organizar um programa para crianças em nossa igreja e dirigiu-o durante décadas, enquanto estudava para receber grau de doutorado. Minha tia é uma mulher de qualidades excelentes, e quando alguém lhe pergunta o motivo de ser assim, ela responde: "Por causa daquele dia".

"Aquele dia" é a forma como ela se refere ao dia em que espera estar diante de Jesus, o dia em que ele testará a qualidade de seu trabalho. A verdade é que todos nós enfrentaremos "aquele dia", e, se o serviço que oferecemos a Cristo for excelente, ouviremos estas palavras abençoadas: "Muito bem, servo bom e fiel! [...] Venha e participe da alegria do seu senhor!" (Mt 25.23).

Quero ouvir essas palavras. Quero ver Jesus sorrir naquele dia, diante do que faço e do que fiz. Não é fácil ter uma vida virtuosa. Nem sempre há elogios, principalmente quando tornamos importantes as coisas que são importantes para o Senhor. Mas haverá um elogio muito significativo "naquele dia".

Que lugar de seu coração é tocado pelo Senhor impelindo-a a trabalhar mais, dar um passo a mais ou esforçar-se mais? Embora meu problema esteja na rotina de cuidar dos filhos, esse não é o único lugar onde a mulher necessita fazer o melhor possível. Em sua missão, você se contenta com o *status quo* ou dá um passo a mais em suas responsabilidades diárias? No caso da aparência pessoal, está satisfeita como é ou deseja ser mais saudável? Quando põe os pés para fora de casa, você faz o possível com o que possui para representar seu Salvador? E quanto ao casamento? Está se conformando com uma convivência confortável com seu marido ou faz o melhor que pode para ter um casamento celestial aqui na terra? Se deseja casar e aguarda que Deus atenda aos anseios de seu coração, o que está fazendo com seu tempo? Está usando seu tempo para a glória do Senhor ou simplesmente marcando passo (ou, então, indagando até quando seu relógio biológico funcionará)? Enquanto espera a chegada de um companheiro, está aproveitando cada oportunidade que Deus lhe dá para usar seu tempo, talentos e recursos para proclamar o reino dele? Essa pergunta não é feita apenas às solteiras; é feita às aposentadas, às que se sentem contentes e às que se julgam realizadas.

"E todos nós, que com a face descoberta contemplamos a glória do Senhor, segundo a sua imagem estamos sendo transformados com glória cada vez maior, a qual vem do Senhor, que é o Espírito" (2Co 3.18). A excelência não é o fim de uma jornada; é um processo contínuo de transformação naquilo que Deus planejou para nós. A excelência que ele deseja de nós não é um nível de superioridade ou distinção que conseguimos alcançar por conta própria. Nosso tesouro não se encontra em "vasos de barro", mas na excelência do poder de Deus em nós (2Co 4.7).

Seremos excelentes quando nos tornarmos perfeitos na vida futura. Porém, nesse ínterim, nossa missão é nos esforçarmos para ser excelentes conforme o Pai nos revelou, na fase em que nos encontramos, isto é, no contexto em que vivemos neste momento. E quando nos comprometemos a buscar essa vida — a vida de uma mulher de qualidades excelentes — o Pai nos transforma à semelhança de seu Filho.

Salmos 16.11 diz: "Tu me farás conhecer a vereda da vida, a alegria plena da tua presença, eterno prazer à tua direita". Escolher ser excelente agora é escolher o fruto da alegria e do prazer nos dias futuros.

Quando escolhemos ser excelentes, Deus recebe a glória.

Quando escolhemos ser excelentes, recebemos o benefício de andar na plenitude da alegria de Deus na terra e de investir nos prazeres da eternidade no céu.

Portanto, minha amiga, escolha o caminho da excelência. E não faça isso apenas pelos motivos que você vê, mas pelas coisas que não se veem, mas que são eternas (2Co 4.18).

Destino completo

Ser excelente é ser mais que um na multidão. É viver de tal forma que você se destaque como especial e única. Assim como Chrystal disse e Febe exemplificou em sua vida, aquilo que você faz, e como faz, atrai a atenção dos outros para a glória de Deus. Assim como Rute, suas ações a colocam em condição de manifestar plenamente seu propósito. Você nunca será excelente se viver de acordo com o mundo. A mulher do reino conhece seu valor verdadeiro e reflete como Deus a vê. Ela aplica o padrão de Deus em tudo o que faz.

Pense nisso considerando um grupo menos valorizado em nossa sociedade: os coletores de lixo. Não é um trabalho que poderíamos chamar de trabalho nobre. No entanto, os coletores de lixo de Nova York entraram em greve em 1990 e em 2006.[1] De repente, essas pessoas comumente esquecidas e ignoradas tornaram-se as mais importantes da cidade, porque todos entenderam quanto necessitavam delas.

Grande parte do que ocorre na vida da mulher do reino não ocupa as manchetes dos jornais. Grande parte do que você faz nunca recebe agradecimento. As pessoas apenas notam quando você não está presente ou não fez algo. Mas essa realidade não muda sua importância. Você é uma joia rara e preciosa. Como mulher do reino, tem a virtude da excelência, e as pessoas à sua volta precisam de você (embora você não ouça isso tanto quanto gostaria ou deveria).

Como mulher do reino, você foi criada de maneira única para ter uma vida de qualidades excelentes.

Sua família precisa de você.

Sua igreja precisa de você.

Sua comunidade precisa de você.

O mundo precisa de você. Como mulher do reino, você foi criada de maneira única para ter uma vida de qualidades excelentes.

4

Uma mulher comprometida

Algumas pessoas comentam que a história seria totalmente diferente se os três magos tivessem sido três "magas". Uma vez que isso não aconteceu, o melhor que podemos fazer é imaginar o que teria ocorrido se três "magas", e não três magos, tivessem visitado o Jesus recém-nascido.

Se tivessem sido "magas" em vez de *magos*, alguns diriam que aquelas mulheres teriam indagado qual era o caminho, chegado a tempo, ajudado o bebê a nascer, limpado o estábulo, preparado uma sopa e trazido presentes práticos comprados em uma loja especializada — inclusive fraldas, lenços umedecidos, babadores e leite em pó.

Não há dúvida de que as mulheres são muito talentosas. A mesma habilidade que os homens têm para agir em regime de monotarefa, elas têm para fazer várias tarefas ao mesmo tempo. Uma pesquisa revela que, em geral, as mulheres são também propensas a ser mais espirituais que os homens. De acordo com o Fórum de Religião e Vida Pública do Centro de Pesquisas Pew, em sua análise do cenário religioso nos Estados Unidos, as mulheres têm mais propensão que os homens para:

- se afiliarem a uma religião,
- orar todos os dias,
- crer em Deus, e
- comparecer assiduamente aos cultos.[1]

As mulheres parecem ter esse conjunto de talentos, pelo que aproveitam ao máximo os dias e os dons que Deus lhes concedeu. Porém, embora elas sejam frequentemente habilidosas na arte de lidar com as situações da vida e alcançar resultados, às vezes os desafios são grandes demais. Isso é verdadeiro para qualquer pessoa. A vida lança bolas em curva, que nos pegam desprevenidos. Ou talvez não sejam bolas em curva. Talvez a vida lance bolas rápidas — uma atrás da outra. Os problemas começam a se acumular, o que torna difícil nos livrar do estresse, do sofrimento ou do vazio que ocorre depois que gastamos todos os nossos recursos naturais tentando lidar com cada coisa, cada situação.

Quando isso acontece, é fácil querer desistir. Mas há outras vidas que dependem do funcionamento e bem-estar de uma mulher que faz malabarismos o tempo todo. Mesmo se você desistir, a vida continuará a lançar desafios. É preciso saber lidar com as provações.

A mulher que não desistiu

A próxima personagem que vamos analisar foi uma mulher competente que deve ter pensado que possuía tudo de que necessitava. Sua saga é relatada no Antigo Testamento. Ora, o Antigo Testamento parece muito distante das situações de hoje, mas o que foi registrado nessa porção da Bíblia nos serve de lição: "Essas coisas aconteceram a eles como exemplos e foram escritas como advertência para nós" (1Co 10.11). O Antigo Testamento é importante, embora suas histórias pareçam antiquadas à visão do mundo contemporâneo. As histórias da

Bíblia apresentam princípios que transcendem o tempo, princípios espirituais para dirigir nossa vida até hoje.

A mulher do reino que quero analisar encontra-se em 2Reis 4. Apesar de não conhecermos muita coisa sobre ela, sabemos que era sábia, porque, quando se viu em um sofrimento além de sua capacidade de resolução, ela recorreu ao profeta local.

Sabemos também que aquela mulher era casada. Nos tempos bíblicos, ser casada era sinal não apenas de segurança, mas também de dignidade. Além disso, ela era fértil. A Bíblia diz que aquela mulher tinha filhos. Havia recebido a maior das bênçãos.

> *As histórias da Bíblia apresentam princípios que transcendem o tempo, princípios espirituais para dirigir nossa vida até hoje.*

De repente, a vida dela virou de ponta-cabeça. O marido morreu. Ela perdeu a renda que garantia o sustento da casa e, por isso, tentou encontrar um modo de alimentar e vestir os filhos sozinha, mas logo as dívidas começaram a se acumular. Segundo o costume de sua cultura, quando as dívidas se avolumaram, os credores usaram de seu direito de pegar seus dois filhos e levá-los para trabalhar como escravos, a fim de pagarem as dívidas da mãe.

Não há provavelmente dor maior para uma mulher que ver alguém pegar seus filhos e deixá-los desprotegidos, sem um abrigo para morar. Não posso imaginar o sofrimento daquela mulher quando ela pensou que seus dois filhos preciosos em breve seriam usados, maltratados e provavelmente seviciados como escravos. Isso despertaria o instinto maternal em qualquer mulher do reino, por certo.

Estamos investigando uma mulher que teve de lidar com várias dimensões de sofrimento ao mesmo tempo. Sem dúvida, ela sentiu a dor emocional em razão da perda do marido e o medo de perder os filhos. Ela se tornara uma mãe sofredora e não tinha ninguém para ajudá-la.

Além disso, sofreu a dor financeira. "Mas agora veio um credor que está querendo levar meus dois filhos como escravos" (v. 1). A pilha de contas continuava a aumentar, e os credores continuavam a procurá-la. Ela não tinha marido nem dinheiro e estava prestes a perder os filhos. O sofrimento era grande demais.

Para piorar a situação, ela sentia dor física. Estava com fome. "Tua serva não tem nada além de uma vasilha de azeite" (v. 2). Se tudo o que ela possuía era uma vasilha de azeite, então ela não dispunha de nenhum alimento. Você já passou fome? Nos Estados Unidos, é bastante improvável encontrar alguém que conheça verdadeiramente o significado de fome. Mas, ainda hoje, há muitas pessoas ao redor do mundo que vão dormir com o estômago completamente vazio.

Além do sofrimento emocional, financeiro e físico, ela enfrentava um sofrimento maior ainda. O sofrimento espiritual. Ela revelou um aspecto importante de seu falecido marido: "Teu servo, meu marido, morreu, e tu sabes que ele *temia* o SENHOR" (v. 1). Não há nada pior que temer o Senhor e não ser capaz de encontrá-lo quando mais necessitamos dele. Esse é o verdadeiro sofrimento espiritual.

O marido era um homem temente ao Senhor, e eles eram uma família temente a Deus. Além de Deus ter permitido que o marido morresse, a mulher corria o risco de perder os filhos também. Eu não me surpreenderia se soubesse que a mulher tinha muitas dúvidas, que questionava Deus. Se ter uma vida de temor a Deus é isso, por que alguém deveria ser temente a ele?

Se agora mesmo eu fizesse uma pesquisa com todas as leitoras deste livro, quantas diriam que já passaram por sofrimento espiritual? Você sabe o que significa quando as situações da vida não fazem sentido. Sabe o que significa achar que Deus, que diz que nunca a abandonará nem a deixará, parece estar distante demais.

Você serve a ele, obedece a ele, procura-o, contribui para a causa dele, adora-o e ajuda aqueles a quem ele ama. Cumpre com a *obrigação* de uma vida cristã. E provavelmente faz isso com sinceridade. Mesmo assim, não consegue pagar as contas. Sente-se sozinha. Está sofrendo. E, pior, parece que não encontra Deus em lugar nenhum.

Talvez você não se identifique com todos os sofrimentos que a mulher em 2Reis 4 enfrentou, mas penso que se identifica com um deles. Tenho aconselhado muitas pessoas nesses quase quarenta anos de ministério e posso reconhecer que esse é um aspecto comum na vida de quem está sofrendo. A pergunta que ouço com frequência é: "Onde está Deus quando mais necessito dele?".

Minha resposta é sempre a mesma: quando permanece em silêncio, Deus não está parado. Deus faz alguns de seus melhores trabalhos no escuro. Algumas de suas melhores obras são realizadas quando você pensa que ele não está fazendo nada. Deus trabalha nos bastidores, está sempre em ação. Ele é fiel, mesmo quando você não consegue vê-lo.

Quando permanece em silêncio, Deus não está parado. Deus faz alguns de seus melhores trabalhos no escuro.

Ele tem um plano para você, e o plano é bom. O compromisso que você assume no escuro é o caminho para sua vitória na luz. O compromisso de manter a fé, buscar Deus e não desistir quando não há nenhuma solução humana à vista é o segredo para trocar o vazio pela plenitude.

O profeta e o plano

Na Bíblia, o profeta era alguém que falava em nome de Deus. O profeta era a voz de Deus para a humanidade. Ele tinha o dever de dizer o que Deus estava dizendo. O profeta não era simplesmente um professor. O professor pode pegar a Palavra de Deus e declarar: "Isto é o que Deus quer dizer", enquanto explica a verdade divina. O profeta, porém, era mais que um professor, porque o profeta não dizia apenas: "Isto é o que Deus quer dizer", mas tinha também a capacidade de aplicar as palavras do Senhor a uma situação específica. O profeta dizia o que Deus estava dizendo, como se se referisse diretamente a você. Não era a Palavra de Deus de forma abstrata. Ao contrário, era a Palavra de Deus para uma situação ou necessidade exclusiva. Quando o profeta falava a alguém especificamente, era a Palavra de Deus acompanhada do nome do destinatário.

Você já assistiu a um culto e teve a impressão de que as palavras do pregador vinham com seu nome escrito? Teve a impressão de que não havia ninguém mais no recinto? Que a mensagem era dirigida e proferida apenas a você? Isso ocorre quando o Espírito Santo toma a Palavra de Deus e a transforma em uma palavra profética para sua situação.

Por que a mulher em 2Reis 4 recorreu ao profeta? Porque se encontrava em uma situação que só Deus poderia resolver. Você já esteve em uma situação que somente Deus podia resolver? Tentou tudo o que podia imaginar para resolvê-la, mas nada funcionou?

Se você se encontra em uma circunstância semelhante a esta, é bem provável que Deus a tenha colocado exatamente no lugar onde ele quer que você esteja. Às vezes, Deus permite que você se envolva em uma situação que só ele é capaz de resolver, justamente para que você descubra que ele é o único que pode fazê-lo.

Às vezes, Deus permite que você se envolva em uma situação que só ele é capaz de resolver, justamente para que você descubra que ele é o único que pode fazê-lo.

Você só descobre que Deus é tudo o que você necessita quando ele é tudo aquilo de que você dispõe. Quando sua capacidade de resolver as coisas parece ter desaparecido. Quando o banco recusa a lhe dar o empréstimo. Quando os amigos não retornam seu telefonema. Quando você já falou com todas as pessoas que podia imaginar e ninguém interveio em seu favor. Quando os médicos não sabem diagnosticar a doença que a aflige. Você se vê em uma situação além de suas forças e além das pessoas que a rodeiam. Essa era a situação em que aquela mulher da Bíblia se encontrava e, por isso, ela recorreu diretamente ao profeta.

A mulher precisava de uma palavra só para ela. Não precisava de um sermão, de um estudo bíblico nem de um hino. Necessitava de um *rhema*, uma palavra que contivesse o nome dela. Na Bíblia, Deus se comunica de maneiras diferentes. *Logos* é uma palavra geral para todos os que creem.[2] Por sua vez, *rhema* é uma declaração particular, dirigida a uma situação ou pessoa específica.[3] A mulher recorreu ao profeta porque necessitava de uma palavra exclusiva para sua situação, um *rhema*.

O profeta respondeu-lhe com um *rhema*; porém, quando o fez, ele levantou uma pergunta interessante. Não lhe deu uma resposta. Ao contrário, questionou: "Como posso ajudá-la? Diga-me, o que você tem em casa?" (v. 2). Que pergunta estranha. Aliás, foi uma pergunta em cima de outra pergunta. Primeiro, Eliseu perguntou: "Como posso ajudá-la?". Sem dar tempo para que a mulher respondesse, ele indagou algo mais: "Diga-me, o que você tem em casa?".

Assim que ele formulou a segunda pergunta, a primeira pergunta tornou-se mais crítica em seu significado. O profeta estava deixando claro que, ao recorrer a ele, a mulher não receberia uma resposta comum. A palavra-chave na primeira pergunta está subentendida: *eu*. Ao referir a si próprio, o profeta partiu para a pergunta seguinte.

A segunda indagação não foi feita com palavras corteses. Ao formulá-la, o profeta informou à viúva que, ao buscá-lo, ela não deveria esperar uma solução qualquer, como as oferecidas por outras pessoas. Ele não faria o que os amigos, a família ou os vizinhos dela teriam tentado fazer.

Ao contrário, Eliseu levantou um assunto que poderia até mesmo parecer outro problema. Ressaltou a pobreza da mulher ao perguntar o que ela possuía em casa. A mulher não se desviou dessa pergunta estranha. Sabia que a resposta dele não seria a que ela esperava; portanto, disse com toda a sinceridade: "Tua serva não tem *nada* além de uma *vasilha de azeite*" (v. 2).

"Exatamente", Eliseu respondeu (em uma tradução livre). E continuou dizendo o que queria que ela fizesse com o "nada" e uma "vasilha de azeite".

> Vá pedir emprestadas vasilhas a todos os vizinhos. Mas peça muitas. Depois entre em casa com seus filhos e feche a porta. Derrame daquele azeite em cada vasilha e vá separando as que você for enchendo.
>
> 2Reis 4.3-4

Além de fazê-la sentir que não possuía nada, Eliseu disse-lhe especificamente que ajuntasse as vasilhas vazias dos vizinhos. Não disse a ela que pedisse azeite emprestado. Disse que ajuntasse o "nada" que os vizinhos possuíam. Ao fazer isso, ele enfatizou o "nada" que ela possuía e o ampliou.

Não sei sua opinião, mas, para mim, esse conselho é um pouco maluco. A viúva disse ao profeta que não tinha nada em casa, e ele ordenou que ela ajuntasse o nada de cada um dos vizinhos. Para piorar a situação, disse-lhe que, depois de ajuntar panelas, caçarolas e baldes vazios dos vizinhos, ela deveria pegar sua mísera vasilha de azeite e encher as outras vasilhas. Deveria derramar o pouco de azeite de sua vasilha na vasilha de outra pessoa. Na melhor das hipóteses, o pedido não tinha lógica; e, na pior, era completamente insensato.

No entanto, ele era profeta e transmitira um *rhema* do Senhor à viúva. Cabia a ela decidir se aceitaria as instruções pela fé, ou se abandonaria a missão de vez — afinal, ele não ofereceu uma solução que ela pudesse seguir parcialmente. Assim que ela atravessasse a porta, percorresse o caminho de terra até a casa do vizinho mais próximo, entrasse na residência desse vizinho, pedisse panelas, caçarolas e baldes e empilhasse tudo para levar para casa, a notícia começaria a se espalhar. Ela precisava seguir as instruções do profeta até completá-la; do contrário, seria motivo de riso para a vizinhança e decepção para o profeta.

> *Tenha em mente que a fé nem sempre faz sentido, mas faz milagres.*

Porém, ao tomar a decisão de seguir as instruções do profeta, a viúva vivenciou um milagre. As mulheres do reino obedecem à Palavra de Deus, mesmo quando aparentemente não faz sentido. Tenha em mente que a fé nem sempre faz sentido, mas faz milagres.

Crônicas de Chrystal

Enquanto lavava a louça após uma refeição em família, comecei a pensar no valor das caçarolas e panelas que possuo. Lembrei que recebi várias delas como presentes de casamento. Todas as vezes que cozinhava, lavava-as vigorosamente depois para mantê-las com a aparência de novas e sem uso. Pode apostar que minha obsessão por caçarolas e panelas limpas não durou muito porque, à medida que eu cozinhava, as manchas apareciam mais rápido do que eu conseguia limpá-las.

Na infância, eu não entendia por que as panelas de minha mãe pareciam "sujas". Agora que sou adulta, descobri. As boas cozinheiras possuem caçarolas e panelas muito usadas. As panelas favoritas de minha mãe eram as mais feias. A frigideira multiuso de minha avó era feita de ferro fundido — uma panela de muitos anos. Minha panela para cozimento lento em fogo mínimo é muito preciosa para mim; porém, está toda riscada. Se uma caçarola ou panela não estiver riscada, significa que não está sendo usada.

Temos a tendência de olhar para as pessoas que apresentam cicatrizes surgidas durante a vida e imaginar o que lhes aconteceu. Às vezes, essas cicatrizes são resultados de lutas que a pessoa infligiu a si mesma. Às vezes, ela não teve culpa de todas essas feridas. Por estar do lado de fora, paramos e olhamos porque temos a tendência de não gostar de imperfeições visíveis. A verdade é que muitas mulheres com cicatrizes são mulheres experientes e, portanto, mais disponíveis para ser usadas por Deus, em razão de suas imperfeições, incapacidade ou solidão.

Assim como a viúva que possuía uma última vasilha de azeite, muitas mulheres sabem o que significa ficar reduzida a um último punhado de energia, dinheiro, esperança ou alegria e, apesar disso, ouvir a voz de Deus pedindo-lhes que deem tudo aos outros como se estivessem oferecendo a ele.

Não posso me imaginar abrindo mão de meu último bocado de alimento para colocá-lo nas vasilhas de outras pessoas. Às vezes, porém, Deus nos pede coisas que parecem estranhas e absurdas. No entanto, quando lhe obedecemos, ele se apresenta a nós de uma forma que jamais imaginamos. É certo que, por vezes, temos uma aparência externa gasta pelo tempo — somos um pouco provadas, testadas e feridas —, da mesma forma que as caçarolas e panelas mais valorizadas em nossa cozinha.

É impossível viver sem manchas, eu suponho, mas penso que não é isso que Deus procura quando busca um coração que se comprometa a segui-lo. Ao contrário, Deus quer saber se a mulher aprendeu a depender dele, se conhece o valor do comprometimento e o supremo poder da fé. Foi isso o que ele procurou quando enviou o profeta para ajudar a viúva que lutava para sobreviver com os dois filhos, e é isso o que ele procura hoje.

Uma das maneiras mais seguras de permanecer fora do radar dos milagres de Deus é mantendo-se trancada no armário da vida a fim de parecer reluzente e nova. Deus não está à procura do reluzente e do novo; ele está à procura de fé amadurecida.

Assim como faço com minhas caçarolas e panelas, temos de calcular o custo de viver como mulher do reino. A mulher do reino entende que, às vezes, o fogão sobre o qual Deus a coloca é quente demais. A mulher do reino entende que, às vezes, os ingredientes da vida que ela precisa "cozinhar" são muito sujos e deixam marcas. Mas será que vamos experimentar o que é bom com o que é ruim? Ou não vamos experimentar nada e permanecer escondidas e protegidas dentro de um armário?

À medida que fico mais velha — em termos culinários, a expressão certa seria *experimentada* —, aprendo a temer menos os ingredientes. Estou aprendendo que é mais valioso dar um passo de fé para Deus me usar do que me esconder em um lugar qualquer em minha caminhada cristã, um local onde não corro o risco de um solavanco ou de um machucado. Estou aprendendo que caminhar carregando um pouco da sujeira da vida — algumas manchas, cicatrizes ou cortes — é um testemunho a um Deus que, apesar do pouco que tenho a lhe oferecer e da insignificância que possa parecer diante do grande panorama da vida, vê muito mais do que o mundo vê.

O Senhor vê meu coração. Vê como reajo a ele: se faço da mesma forma que a viúva, com fé e confiança, ou se julgo as vasilhas vazias dos vizinhos ou as minhas. Quando nos apresentamos com fé diante do Deus supremo e poderoso, ele é capaz de fazer algo surgir do nada. Além de atender às minhas necessidades, ele pode me usar para atender às necessidades de outras pessoas.

O mundo em que vivemos não valoriza feridas nem fraturas, incompetência nem mãos vazias. O mundo despreza a fraqueza e a ideia de uma alma voluntariamente submissa. O mundo não valoriza o que Deus valoriza — humildade, carência, mansidão e a beleza de um coração servil. Nosso mundo não aprecia nem valoriza a dificuldade, os tempos ruins e os ingredientes da vida que deixam resíduos de terra ou fuligem.

Deus, porém, aprecia e valoriza tudo isso.

Deus ama as pessoas que se dispõem a trocar seu exterior reluzente pela oportunidade de ser útil em seu reino. O Senhor valoriza a pessoa que prefere seguir os propósitos divinos a ter uma vida de facilidades. Nosso Pai valoriza as mulheres que amam o plano que ele tem para elas mais do que amam os planos que têm para si mesmas — mesmo quando o plano dele causa ferimentos.

O Senhor valoriza a pessoa que prefere seguir os propósitos divinos a ter uma vida de facilidades.

Deus ama a mulher que confia que ele só permitirá que ela seja manchada com a sujeira e a fuligem necessárias para ele usá-la para sua glória.

Deus ama a irmã experiente — uma mulher do reino que opta por ser cheia de seu amor e poder — quer ela tenha alguma coisa para extrair de si mesma, quer não.

O caminho da sabedoria

Um dos maiores desafios de nossa vida cristã é seguir a sabedoria de Deus, e não a do mundo. A sabedoria do mundo é, às vezes, referida como mundana. "Mundano" nada mais indica que o sistema estabelecido por Satanás, que procura deixar Deus de fora.

Quando a viúva se aproximou do profeta, desde o início ele deixou bem claro que Deus agiria de forma diferente de qualquer outra pessoa. A maneira de Deus agir quase sempre inclui caminhos que não entendemos e que não fazem sentido. Se a mulher possuía uma última vasilha de azeite, por que ele lhe disse que fosse buscar as vasilhas vazias dos vizinhos? Mas foi exatamente o que o profeta fez. Ele expandiu a visão da mulher. Ao ajuntar as vasilhas dos vizinhos, ela viu não apenas as suas necessidades, mas também as dos outros. Além disso, o profeta pavimentou um caminho de comprometimento para que ela demonstrasse fé.

Hoje, muitas pessoas não têm uma vida do reino vitoriosa porque se acomodaram à conversão. A conversão é ótima — reconcilia a pessoa com o reino de Deus por toda a eternidade. Mas, para que o poder do reino de Deus atue em você, há necessidade de comprometimento. Isso exige dedicação às Escrituras e ao caminho traçado por Deus. Se você não se comprometer com o Rei e seu reino — e, ao invés disso, optar pela definição de sabedoria e soluções do mundo —, não verá a manifestação do Rei, porque Jesus disse claramente: "O meu Reino não é deste mundo" (Jo 18.36).

Quando você recorre a Jesus para apresentar a ele seus problemas, ele responde como o profeta: "Como *posso* ajudá-la?". Esse é um lembrete de que aquele de quem você se aproximou apresentará um caminho diferente, que exige comprometimento, a fim de que você presencie o milagre resultante dessa atitude. O caminho de comprometimento trilhado pela viúva nos oferece quatro princípios, os quais quero analisar agora.

O primeiro princípio que aprendemos é que o caminho de Deus é a melhor solução para as dificuldades da vida. O problema da viúva só foi resolvido depois que ela recebeu uma palavra profética de Deus por intermédio de Eliseu. Até então, ela estava paralisada, sem saber o que fazer. Paralisada por dispor apenas da opinião humana. A opinião humana é muito parecida com os alimentos prejudiciais que ingerimos. Se você se empanturrar desses alimentos, não terá espaço para ingerir os alimentos verdadeiros. A viúva recorreu ao profeta antes de tudo; por isso, encontrou espaço para obedecer às palavras dele.

Quando você necessita de uma palavra profética de Deus — um *rhema* —, não é aconselhável empanturrar-se das opiniões de outras pessoas. As soluções humanas talvez pareçam lógicas, práticas ou animadoras, mas, quando Deus tem uma palavra para você — quando o Espírito Santo conversa com sua alma —, é recomendável que você não esteja tão empanturrada do que os outros disseram a ponto de não ter mais espaço para ouvir a palavra divina.

O segundo princípio extraído das escolhas da viúva é que Deus responde quando você não possui nada. Deus respondeu à viúva quando ela não tinha nada a oferecer a não ser uma vasilha de azeite. Todas as outras vasilhas dela — potes, caçarolas e panelas — estavam vazias. O que ela poderia fazer com uma vasilha de azeite? Nada. Não havia nenhum outro ingrediente a ser misturado com o azeite para que fosse possível preparar um alimento. Certamente, ela não tinha o que comer.

Um dos motivos pelos quais é difícil receber os milagres da provisão de Deus é que nos aproximamos dele totalmente abastecidos, e não de mãos vazias. Apresentamos aquilo que, em nossa opinião, temos a oferecer a Deus em vez de reconhecermos que, sem ele, não temos nada (Jo 15). A Bíblia também tem uma palavra para isso. Chama-se orgulho. A Bíblia também tem uma palavra para mãos vazias. Chama-se humildade.

> *Um dos motivos pelos quais é difícil receber os milagres da provisão de Deus é que nos aproximamos dele totalmente abastecidos, e não de mãos vazias.*

Orgulho é declarar nossa autossuficiência, ao passo que humildade é reconhecer nossa insuficiência. A Bíblia diz claramente: "Deus se opõe aos orgulhosos, mas concede graça aos humildes" (Tg 4.6). Não existe mulher do reino orgulhosa, porque tais palavras se excluem mutuamente. Aliás, elas não podem coexistir porque a própria definição de orgulho contradiz a definição da mulher do reino, que vive sob a autoridade e o domínio de Deus.

Uma das canções do grupo vocal norte-americano The Temptations é intitulada "Ain't Too Proud to Beg" [Não sou orgulhoso a ponto de me recusar a pedir], e essa deveria ser o tema dos que creem em Cristo, porque, quando somos orgulhosos demais para pedir a Deus aquilo de que precisamos, ou quando somos autossuficientes e nos recusamos a necessitar dele, não recebemos seu poder e sua glória, que são bem maiores do que o que carecemos. Como mulher do reino, nunca seja orgulhosa demais para pedir a Cristo o que você necessita. Admita a ele que você sabe que não possui nada.

O terceiro princípio importante extraído do caminho da viúva é dar aos outros o que você necessita que Deus lhe dê. Ou, conforme lemos em Lucas: "Deem, e lhes será dado: uma boa medida, calcada, sacudida e transbordante será dada a vocês. Pois a medida que usarem também será usada para medir vocês" (6.38).

A expressão "lhes será dado" refere-se àquilo que você deu. Seja o que for que você queira que Deus faça por você, faça *isso* a outra pessoa. A viúva possuía apenas uma vasilha de azeite, mas o profeta instruiu-a a derramar uma jarra de azeite nas vasilhas vazias dos vizinhos. Ela não sabia o que ele faria com o azeite assim que o derramasse. Provavelmente, ele lhe pediria que devolvesse as vasilhas dos vizinhos e ficasse sem o azeite. Mas ela lhe obedeceu.

Esse é o princípio ao qual a Bíblia se refere quando Jesus disse: "Há maior felicidade em dar do que em receber" (At 20.35). Jesus estava dizendo que, ao dar, abrimos um canal por meio do qual também recebemos. Em outras palavras, quando retemos ou guardamos aquilo que imaginamos ser só nosso, interrompemos o canal de Deus até nós. Se Deus não puder abastecer os outros por seu intermédio, não continuará a abastecer você. A palavra *bênção* pode ser definida como experimentar, desfrutar e passar adiante a bondade de Deus em sua vida. Isso inclui ser usada por Deus para abençoar os outros também.

Quando a viúva se comprometeu a seguir as instruções do profeta e despejou sua última porção de azeite nas vasilhas dos vizinhos, suas mãos vazias ficaram cheias. Enquanto derramava o azeite, a vasilha dela continuou a encher a tal ponto que ela disse ao filho: "Traga-me mais uma". Ele, porém, respondeu: "'Já acabaram'. Então o azeite parou de correr" (2Rs 4.6).

Somente se acreditar de fato que Deus é seu manancial é que você conseguirá dar esse passo de fé e entregará aos outros aquilo de que necessita. E, se Deus é seu manancial, então a pergunta não é se você tem o suficiente para continuar a dar aos outros, mas se tem fé para crer que ele reabastecerá o que você deu em nome dele.

Deus prometeu que "suprirá todas as necessidades de vocês, de acordo com as suas gloriosas riquezas em Cristo Jesus" (Fp 4.19) se o amarmos e andarmos de acordo com sua vontade (Rm 8.28). Essa é uma promessa que você pode levar ao banco, da mesma forma que a viúva fez depois, quando vendeu o azeite acumulado e retirou o lucro (2Rs 4.7).

Deus não precisa de muito para fazer muito

O último princípio de 2Reis 4 é simples, mas profundo. Deus não precisa de muito para fazer muito. A pequena quantidade de azeite que a mulher possuía foi mais que suficiente para Deus multiplicá-la. Esse princípio aparece repetidas vezes na Bíblia. Moisés só possuía um cajado de pastor, mas, quando o jogou ao chão e o pegou de volta, o objeto se transformou em um instrumento poderoso de Deus. Aliás, tornou-se tão poderoso que Moisés o usou para dividir o mar Vermelho e extrair água de uma rocha.

Davi só possuía uma funda e cinco pedras lisas, e usou apenas uma dessas pedras. No entanto, derrotou o gigante que um exército inteiro não conseguiu abater (1Sm 17). Sansão só possuía uma queixada de jumento, mas foi com ela que matou os filisteus (Jz 15.16). Sangar só possuía uma aguilhada de bois, mas com ela salvou a nação inteira de Israel (Jz 3.31).

Raquel só possuía alguns cântaros, mas, ao oferecer água aos camelos de um estrangeiro, passou a fazer parte da linhagem de Jesus Cristo, nosso Salvador (Gn 29). Sara só possuía um filho, mas tornou-se a mãe da nação inteira do povo escolhido de Deus (Gn 21). Jael só possuía uma estaca de tenda, mas foi capaz de matar Sísera e mudar o rumo de toda uma batalha (Jz 4).

O menino que estava ouvindo o sermão de Jesus tinha apenas alguns peixes e pães. Mas aquilo foi suficiente para alimentar a multidão, e ainda houve sobras para os discípulos recolherem. Maria Madalena só possuía um frasco de perfume, mas ensinou-nos uma das mais extraordinárias lições espirituais da Bíblia.

Se você não tem muita coisa, não se preocupe. Deus pode pegar o seu pouco e transformá-lo em muito quando você se compromete a seguir o caminho que ele lhe traçou. Aliás, ele "é capaz de fazer infinitamente mais do que tudo o que pedimos ou pensamos, de acordo com o seu poder que atua em nós" (Ef 3.20).

Ser mulher do reino, uma mulher de comprometimento, implica tomar uma decisão com base na fé de seguir o caminho prescrito por Deus e, ao mesmo tempo, submeter-se à autoridade dele. Esse caminho raramente será o que você escolheu, mas sempre a levará a seu destino, que é um lugar muito melhor onde estar que qualquer outro.

Se você não tem muita coisa, não se preocupe. Deus pode pegar o seu pouco e transformá-lo em muito quando você se compromete a seguir o caminho que ele lhe traçou.

Em um poema memorável, escrito no estilo do autor norte-americano Dr. Seuss, um personagem chamado Zoad se revela bem semelhante a muitos de nós e demonstra nossa incapacidade de nos comprometermos a seguir uma direção solitária pela fé:

Eu já lhe falei sobre o jovem Zoad?
Aquele que topou com uma placa na bifurcação da estrada?
Ele olhou para um lado, depois para o outro.
Zoad tinha de decidir o que fazer —
Bem, Zoad coçou a cabeça, o queixo e a calça.
E disse a si mesmo: "Vou arriscar.
Se eu for ao Lugar Um, lá poderá ser quente.
Então, como vou saber se vou gostar ou não?
Por outro lado, porém, serei um idiota
Se for ao Lugar Dois e achar que é frio demais.

Neste caso, posso pegar um resfriado e ficar deprimido.
Portanto o Lugar Um deve ser melhor que o Lugar Dois".
"Cuidado!", gritou Zoad, "não sou de correr riscos.
Simplesmente vou partir para os dois lugares de uma só vez".
E foi assim que Zoad, que não quis se arriscar,
Não chegou a lugar nenhum e ainda rasgou a calça.[4]

Deus deu às mulheres do reino a direção e o caminho que deseja que sigam. E se ele não revelou o passo a passo até agora, meu conselho é que você continue a caminhada até que ele revele o passo seguinte. O caminho de Deus é o caminho da fé. Mesmo que não seja capaz de ver aonde ele o levará, segui-lo é a maneira mais segura de ser tudo aquilo que o Senhor planejou para você. Haverá problemas se você tentar misturar a sabedoria do mundo com a sabedoria divina. E se fizer isso, em vez de alcançar o destino que lhe foi preparado com exclusividade, você não chegará a lugar nenhum.

Parte 2

A FÉ PROFESSADA PELA MULHER DO REINO
— PODER —

5
O PODER DA FÉ PROFESSADA PELA MULHER DO REINO

Alguns anos atrás, houve um evento interessante na Carolina do Sul. Eu estava escalado para falar em uma cruzada no Williams Brice Stadium, o campo de futebol da universidade local. O serviço meteorológico previa chuva. Na verdade, dizia que cairia uma tempestade.

Mais de 25 mil pessoas estavam reunidas no estádio aguardando o início da cruzada quando vimos as nuvens da tempestade se formando. Então nós, os líderes e organizadores da cruzada, decidimos orar para que Deus detivesse a chuva.

Descemos a escada de acesso a uma sala pequena, reunimo-nos e começamos a orar. Evidentemente, oramos mais ou menos assim: "Amado Deus, pedimos que detenhas a chuva" e "Se for da tua vontade, Deus, poderias impedir a chegada desta chuva?".

No entanto, enquanto orávamos, uma senhora pequenina chamada Linda deu um passo à frente. Talvez estivesse frustrada com as orações dos chamados "profissionais" — os pregadores e os líderes.

Fosse o que fosse, Linda apresentou-se e perguntou:

— Vocês se importam se eu orar?

— Claro que não; pode orar.

O que mais poderíamos dizer?

Linda orou:

— Senhor, teu nome está em jogo. Dissemos àquelas pessoas que, se elas viessem aqui esta noite, ouviriam uma palavra de Deus. Dissemos que ouviriam uma palavra vinda de ti. Elas vieram, e, se tu permitires que chova, é sinal de que não tens poder sobre o tempo, e deixarás má impressão sobre aquela gente. Afirmamos que tinhas algo a dizer a elas e, se não impedires o que podes controlar, isto é, o clima, alguém poderá achar que teu nome não tem muito valor.

Em seguida, ela proferiu uma frase que nos fez olhar uns para os outros com o canto dos olhos.

— Portanto, peço agora em nome do Senhor Jesus Cristo que a chuva pare, por amor do teu nome!

Quando ela terminou, abrimos os olhos, ou melhor, arregalamos os olhos. Tudo o que conseguimos dizer foi:

— Puxa! Ela fez mesmo essa oração?

Após as orações, subimos a escada e sentamos na plataforma. O céu atrás de nós estava completamente negro. Um homem designado para comunicar-se diretamente com o serviço de meteorologia disse: "O aguaceiro está chegando. Trata-se de uma tempestade muito forte, e está vindo em nossa direção".

O relógio marcava 19 horas, e a música estava começando. No momento de iniciarmos a cruzada, um trovão ribombou e fomos cercados por um clarão. As pessoas começaram a se mexer no lugar. Algumas se levantaram e abriram o guarda-chuva.

Linda estava na plataforma conosco. Enquanto os guarda-chuvas começavam a ser abertos na plateia, e vários na plataforma, Linda continuou sentada, demonstrando confiança. Um silencioso ar de expectativa tomou conta de seu rosto.

De repente, aconteceu algo que vi somente uma vez na vida. A chuva dirigiu-se violentamente em direção ao estádio como uma parede de água. Mas, quando chegou ao estádio, ela se dividiu. Metade da chuva foi para um lado do estádio e metade foi para o outro, permanecendo do lado de fora. Linda continuou sentada o tempo todo, com aspecto confiante. Nós, os pregadores e líderes, limitamo-nos a olhar uns para os outros. Vimos a chuva circundar o estádio, e nos entreolhamos novamente. Depois olhamos para Linda. Ela olhava para a frente, com a cabeça erguida.

Veja bem, esta não é uma história que alguém me contou. Eu estava lá. Na verdade, minha família estava lá comigo. E mais, havia 25 mil pessoas lá comigo. E naquela noite todos nós presenciamos um milagre. Creio que Deus prestou atenção especial à oração de Linda porque ela teve muita fé.

Ela conhecia o nome de Deus. Entendia que o nome dele representava seu caráter. E, na oração, fez um apelo àquilo que era mais importante para ele. Ela sabia falar a língua de Deus.

Creio que a oração de Linda resultou em milagre porque ela entendia que Deus é apaixonado por sua reputação. Ela colocou sua fé em Deus. Seu corpo pequenino e frágil tinha poder pelo simples fato de ela estar intimamente ligada a Deus e ter investido no nome dele. Quando a chuva circundou o estádio, a multidão ficou protegida e, assim, pôde ouvir o evangelho e abrir o coração, após testemunhar um fenômeno climático.

> *Quando as mulheres do reino são apaixonadas por aquilo que desperta a paixão de Deus, pode haver mudanças positivas na vida das pessoas, nas famílias, nas comunidades e até no país em que elas vivem.*

Quando as mulheres do reino são apaixonadas por aquilo que desperta a paixão de Deus, pode haver mudanças positivas na vida das pessoas, nas famílias, nas comunidades e até no país em que elas vivem.

Ana

A Bíblia contém histórias de mulheres que enfrentaram situações que pareciam impossíveis. Mesmo assim, essas mulheres demonstraram repetidas vezes uma fé inquestionavelmente mais forte que a dos homens da Bíblia. As mulheres possuem uma capacidade única para ter fé, e essa é uma das principais maneiras de promover o reino de Deus. A primeira mulher que desejo analisar está descrita em 1Samuel. Ana era estéril. Não podia ter filhos. Na verdade, não podia ter filhos porque Deus a deixara estéril (1.5). Não havia uma mera limitação biológica na vida de Ana. Havia um motivo espiritual, e a mão de Deus, por trás de sua realidade física.

Além de não poder gerar filhos, Ana vivia em um ambiente desagradável. Vivia em uma cultura na qual a identidade da mulher era quase sempre intimamente ligada, ou inteiramente ligada, à sua capacidade de gerar filhos. As pessoas que conviviam com Ana a ridicularizavam. Humilhavam-na. Uma mulher em particular era a que mais perturbava Ana. Chamava-se Penina e também era mulher de Elcana, marido de Ana.

> Sua rival a provocava sem dó, irritando-a sempre e lembrando-a de que o Eterno a deixara sem filhos. Isso acontecia todos os anos. Sempre que a família ia ao santuário do Eterno, Ana já sabia que seria provocada. Ela chorava e até perdia o apetite.
>
> 1Samuel 1.6-7, A Mensagem

Em razão disso, Ana recorreu a Deus:

> Aflita, Ana orou ao Eterno. Desconsolada, ela chorava. Então, fez um voto:

> "Ó Senhor dos Exércitos de Anjos,
> Se atentares para o meu sofrimento,
> Se deixares de me ignorar e agires a meu favor,
> Dando-me um filho,
> Eu o dedicarei sem reservas a ti.
> Eu o separarei para uma vida de santa disciplina".
>
> 1Samuel 1.10-11, A Mensagem

Diante de uma situação que não poderia solucionar, Ana pediu a Deus que revertesse a condição em que ela vivia durante toda a vida adulta. Ana falou de seu problema físico. Assim como Linda, que entendeu que a tempestade tinha menos a ver com as nuvens no céu que com a capacidade de Deus de retê-las, Ana buscou alívio e assistência em Deus, pois só ele poderia acudi-la. Ela buscou uma solução espiritual para uma necessidade física.

Quando procurou Deus como solução para seu problema, Ana depositou nele sua fé. Na verdade, deu um passo maior. Disse a Deus que, se ele lhe *desse* um filho, ela *daria* aquele mesmo filho de volta, para servi-lo durante o tempo em que ele vivesse. Ana recorreu a Deus para receber uma resposta e buscou honrá-lo enquanto fazia isso. Assim, o Senhor deu um filho a Ana. A Bíblia diz:

> Na manhã seguinte, eles se levantaram e adoraram o SENHOR; então voltaram para casa, em Ramá. Elcana teve relações com sua mulher Ana, e *o SENHOR se lembrou dela*. Assim Ana engravidou e, no devido tempo, deu à luz um filho. E deu-lhe o nome de Samuel, dizendo: "Eu o pedi ao SENHOR".
>
> 1Samuel 1.19-20

Um princípio importante de se viver pela fé é saber que, se Deus é a causa do problema que você está enfrentando, seja qual for, então somente ele pode ser a solução. Não importa quem são seus conhecidos, qual é o nome que você recebeu, que poderes tem ou quanto dinheiro possui. Deus é seu manancial. Todos e tudo mais são meros expedientes. Ana tornou-se fértil porque Deus se *lembrou* dela.

> *Um princípio importante de se viver pela fé é saber que, se Deus é a causa do problema que você está enfrentando, seja qual for, então somente ele pode ser a solução.*

Ana cumpriu sua palavra depois de dar à luz Samuel. Entregou-o para que servisse ao Senhor no templo. O filho por quem ela orara durante todos aqueles anos foi devolvido a Deus, conforme ela prometera. Há, porém, um aspecto interessante: depois que Ana entregou a Deus aquilo que ela mais queria — seu filho —, ele a recompensou com uma casa cheia de crianças. Em 1Samuel 2, constatamos que, além de dar à luz Samuel, Ana teve mais três filhos e duas filhas (v. 21). Deus não apenas respondeu à oração de Ana, proferida com fé, mas também lhe deu mais do que ela pediu. Encheu sua casa com outras cinco crianças. Deus honrou aquele ato de fé pelo qual ela lhe devolvera Samuel.

A viúva de Sarepta

Em 1Reis, deparamos com outra mulher que demonstrou o poder da fé diante de situações impossíveis. A fome havia atingido a terra onde ela vivia, tornando difícil sua sobrevivência. A economia desmoronara, e o país estava passando por uma grande recessão. O abatimento tomou conta de muita gente.

Deus instruíra o profeta Elias a ir a um lugar chamado Sarepta, onde morava uma viúva. Deus disse a Elias que ordenara à viúva que o alimentasse. Porém, quando se encontrou com a mulher no portão da cidade, Elias notou que ela estava relutante. A princípio, quando ele lhe pediu um pouco de água, ela se dispôs a oferecê-la e saiu para buscá-la. Mas, quando ele pediu um pedaço de pão para acompanhar a água, ela não se mostrou ansiosa por fazer isso:

> Mas ela respondeu: "Juro pelo nome do SENHOR, o teu Deus, que não tenho nenhum pedaço de pão; só um punhado de farinha num jarro e um pouco de azeite numa botija. Estou colhendo uns dois gravetos para levar para casa e preparar uma refeição para mim e para o meu filho, para que a comamos e depois morramos".
>
> 1Reis 17.12

A mulher não planejava comer depois daquela refeição. Explicou a Elias que não poderia oferecer-lhe nada porque não tinha coisa nenhuma.

Elias, no entanto, recebera uma mensagem diferente de Deus. Deus afirmou a Elias que ordenara à mulher que o ajudasse. Confiando nisso, Elias disse à mulher que não temesse. Pediu-lhe que preparasse um bolo para ele e disse algo mais. Veja bem, a mulher informou que não tinha comida suficiente. Elias sabia que ela só possuía uma última porção de farinha. Porém, ele lhe disse que, se lhe fizesse um bolo, ela poderia fazer algo para si e para o filho também. Haveria comida suficiente para todos. "Pois assim diz o Senhor, o Deus de Israel: 'A farinha na vasilha não se acabará e o azeite na botija não se secará até o dia em que o Senhor fizer chover sobre a terra'" (v. 14).

Não havia futuro para a viúva. Ela não tinha nenhuma economia. Não tinha nenhum alimento. Não tinha nenhuma esperança. Mesmo assim, diante da incerteza e da fome, Elias pediu-lhe que demonstrasse fé. O que a mulher fez? Exatamente o que Elias lhe disse ao repetir as palavras de Deus. Ela lhe obedeceu.

Eu gostaria de saber em que ela pensou enquanto pegava a última porção de farinha para transformá-la em um bolo. Ao que tudo indica, não seria um bolo apetitoso. Imagino que, naquela altura, ela não tinha nenhum outro ingrediente em casa, e definitivamente não tinha nada para acrescentar ao bolo. Não tenho certeza se a palavra *bolo* dá a impressão correta. Talvez tenha ficado mais parecido com um pão redondo depois de pronto. Seja como for, a viúva usou o que lhe sobrara para obedecer a Deus.

Ela ofereceu tudo a uma pessoa completamente estranha, o pouco que lhe restara para alimentar o filho. Seus instintos maternais devem ter gritado bem alto, mas a fé os abafou. Se quisesse realmente proporcionar um futuro para o filho, ela teria de abrir mão do desejo de alimentá-lo com a última porção de alimento que restara. Teria de colocar todos os ovos, ou pelo menos toda a farinha, em um só cesto — no cesto de Deus.

No entanto, quando ela fez isso, "a farinha na vasilha não se acabou e o azeite na botija não se secou, conforme a palavra do Senhor proferida por Elias" (v. 16).

O pedido de Elias não foi prático. Aliás, nem pareceu ser moral: dar a outra pessoa a comida reservada para alimentar o filho. O que Elias estava pensando ao fazer tal pedido? Ele sabia que Deus o instruíra a fazer aquilo; portanto, cumpriria sua palavra.

Não fazia sentido. Na verdade, era totalmente ridículo. Mas Deus pedira. E ela obedeceu pela fé. Teve a mesma fé demonstrada por Linda. Demonstrada por Ana. Aquela fé que faz o céu descer à terra.

Esta é a minha opinião sobre a passagem: Deus conhecia a fé que aquela mulher carregava e foi por isso que lhe enviou Elias. Havia muitas viúvas naquela época. A fome tomara conta da terra por quase quatro anos. Mas nem todas as viúvas atraíram a atenção de Deus, porque nem todas as viúvas demonstraram um coração de fé. Em algum lugar ao longo do caminho, Deus viu o ato de fé daquela viúva. Sabia que, se lhe pedisse algo aparentemente irracional, mas que lhe trouxesse bênção e favor, ela o faria.

Deus não escolheu essa viúva ao acaso. Suas ações, seus pensamentos e suas decisões até aquele ponto fizeram dela uma mulher que atraiu a atenção especial do Senhor. Além disso, ela morava fora de Israel, na cidade fenícia de Sidom. Deus não foi à "igreja" para encontrar a mulher que usaria. Não foi à cidade nem visitou o grupo de estudo bíblico mais próximo. É por isso que, às vezes, a fé mais intensa é encontrada nos lugares mais surpreendentes, pois a fé depende de relacionamentos, e não de religião. A religião pode ser um dos maiores obstáculos para a fé, porque cria dependência de um ritual, e não do Deus do universo, que pode fazer todas as coisas.

> Às vezes, a fé mais intensa é encontrada nos lugares mais surpreendentes.

Ao buscar uma mulher de grande e poderosa fé, Deus não procurou nos bancos da igreja. Procurou nos corações, a fim de encontrar a mulher que lhe obedeceria. Aliás, quando procurou alguém para salvar o ministério de seu profeta Elias, em uma época de grandes provações e necessidades, Deus não recorreu a um homem. Com certeza, havia muitos homens naquela época que possuíam um pouco de alimento. Mas, naquele momento crucial do chamado de Elias como profeta, Deus escolheu deliberadamente uma mulher do reino para solucionar o problema.

Jesus falou da viúva de Sarepta, destacando especificamente a fato de Deus ter enviado Elias a uma mulher para ajudá-lo em uma ocasião decisiva de seu ministério:

> Asseguro-lhes que havia muitas viúvas em Israel no tempo de Elias, quando o céu foi fechado por três anos e meio, e houve uma grande fome em toda a terra. Contudo, Elias não foi enviado a nenhuma delas, senão a uma viúva de Sarepta, na região de Sidom.
>
> Lucas 4.25-26

Em outras palavras, Deus sabia que, quando os tempos se tornassem difíceis e cada pessoa estivesse tentando sobreviver, a fé professada pelas pessoas da igreja não seria tão forte a ponto de fazer o que ele lhes pediria. As mulheres de Israel, as senhoras que haviam sido escolhidas para confiar no Senhor de todo o coração, não acreditariam em suas palavras. Nem os homens. Mas a estrangeira, a viúva que morava fora dos círculos "cristãos" normais, era a única que acreditaria. Ela recebeu, portanto, a intervenção sobrenatural em um cenário sem esperança e desesperador. Recebeu o investimento sobrenatural de Deus que duraria até que o último investimento natural — a chuva — trouxesse os alimentos de volta.

A meu ver, aquela mulher seria a última que muitos lembrariam quando pensassem em uma mulher de grande fé. Por ser viúva e viver em tempos de fome, ela era, sem dúvida, uma mulher desanimada e infeliz. Provavelmente, usava roupas esfarrapadas. Os sapatos, se é que possuía algum, deviam estar esburacados. Não sei o que ela usava para fazer pão, talvez uma tigela lascada ou trincada, sobre pedras de carvão que mal a aqueciam. Seja qual for a vasilha que ela usava, não foi comprada em nenhuma loja de grife nem fazia parte de um restaurante requintado para ser usada na cozinha. Mas, quando aliado à fé, aquilo que não parecia suficiente tornou-se o caminho para o mais que suficiente.

A fé, em geral, implica olhar adiante do que podemos ver ou das limitações que enfrentamos. Talvez você não tenha tempo suficiente durante o dia para fazer tudo o que necessita ser feito. Ou talvez não tenha recursos para realizar tudo o que precisa. Pode ser que esteja lutando para criar os filhos sozinha enquanto seu marido está ocupado trabalhando ou viajando, ou o pai das crianças foi embora há muito tempo. Talvez sua conta bancária esteja baixa, e você esteja fazendo o possível para encontrar um emprego, e, mesmo assim, Deus lhe pede que continue a honrá-lo com uma parte de seu dinheiro. Ou pode ser que tenha recebido um diagnóstico não muito favorável de seu médico, mas Deus colocou a esperança em seu coração para que você creia em seu toque restaurador.

A fé age sobre esta verdade: embora você não possua o suficiente, Deus possui mais que o suficiente, e prometeu suprir todas as suas necessidades.

Talvez Deus tenha deixado claro que deseja que você abandone sua carreira profissional e permaneça o dia inteiro em casa com seus filhos, mas sua família não pode viver só com a renda de uma pessoa. Ou talvez Deus lhe tenha dito que abra mão do bônus que recebeu este ano e o entregue a uma família carente da vizinhança. Seja qual for o caso, a fé age sobre esta verdade: embora você não possua o suficiente, Deus possui mais que o suficiente, e prometeu suprir todas as suas necessidades.

Crônicas de Chrystal

Enquanto escrevo esta reflexão, sou muito abençoada por ainda ter duas avós vivas e dispostas a conversar regularmente comigo sobre a vida. Minha avó materna, a "Vovó", completará 94 anos em breve e está planejando embarcar em outro cruzeiro daqui a algumas semanas. Minha avó paterna, a "Mamãe nº 2", me telefona sempre que acha que faz muito tempo que não ligo para ela. Quando não liga, ela me envia um *e-mail*, todo em LETRAS MAIÚSCULAS, deixando claro que está insatisfeita com minha falta de comunicação. Sim. Aos quase 80 anos de idade, minha avó me envia *e-mails*.

Ambas estão cheias de vida.

No entanto, uma vez que o tempo não espera por ninguém, estou consciente de que os momentos que passo com elas são preciosos e que cada telefonema, cada visita, cada beijo no rosto enrugado é uma dádiva de preço incalculável.

O curioso de observar os avós ou os pais envelhecendo é ver que as pessoas que sempre julguei as mais fortes, as mais capazes de liderar e as mais confiantes estão, aos poucos, se modificando diante de meus olhos, passando de um estado de visível independência para um estado de dependência.

Recentemente, minha adorável Mamãe nº 2 apresentou alguns problemas de saúde. Depois de sofrer de diabetes por muitos anos e passar por várias cirurgias para manter a corrente sanguínea nas extremidades do corpo, a Mamãe nº 2 teve uma das pernas amputada. Ela deu entrada no hospital com muita dor. E é uma mulher forte, ou seja, se reclamou da dor, é porque não conseguia suportá-la. Depois de dois dias, o médico disse que não podia fazer nada para salvar a perna dela.

Eu não estava lá. Não pude segurar a mão dela, por isso fiz o melhor que pude e liguei várias vezes por dia. Em um daqueles telefonemas, ouvi-a chorando de angústia. A dor era muito grande, e ouvi minha avó, sempre tão forte, expressar aquele som gutural que só a verdadeira agonia conhece. Meu pai, que estava com ela no quarto, colocou o telefone no ouvido dela e pediu que eu falasse algumas coisas.

— Mamãe nº 2, eu amo você. Lamento muito você estar sentindo tanta dor. Todos nós amamos você e estamos orando para que sare logo. Tudo vai ficar bem. Você vai ficar bem.

Entre uma e outra onda de dor, eu a ouvi dizer:

— Deus é bom, querida. Tenho de confiar nele. Deus é bom.

Onde alguém encontra esse tipo de fé? Onde uma mulher encontra força para falar bem de seu Deus em meio a dor, sofrimento, angústia, desconforto ou dificuldade tão grande?

Eu ainda considero estar no meio de minha caminhada de fé e não tenho a mesma convicção forte que minhas avós manifestaram durante a vida, tanto em tempos bons como em tempos maus. No entanto, sei que isto é verdade: o tipo de fé que minha avó demonstrou naquele dia e nos dias seguintes é aquela fé que só pode ser construída tijolo por tijolo, dia após dia, quando a mulher caminha comprometida com os propósitos e planos de Deus para sua vida.

Hebreus 11.1 define *fé* como "a certeza daquilo que esperamos e a prova das coisas que não vemos". A versão *A Mensagem* define-a desta maneira: "É o alicerce sólido que sustenta qualquer coisa que faça a vida digna de ser vivida. É pela fé que lidamos com o que não podemos ver".

Por que minha avó foi capaz de falar bem de Deus em uma circunstância difícil? Porque ela optou por fazer isso. Simples assim. Não necessariamente fácil. Mas definitivamente simples.

Fé é uma decisão.

Fé é a decisão de acreditar no melhor acerca de seu marido quando se sente decepcionada com o que ele aparenta ser.

Fé é a decisão de acreditar que é quem Deus diz que você é, ainda que todos os dias você lute contra a insegurança e as dúvidas acerca de si mesma.

Fé é a decisão de acreditar que lidar com seu dinheiro à maneira de Deus é o melhor a fazer.

Fé é a decisão de acreditar que encontrar tempo para orar sobre suas preocupações é o melhor uso que você faz do tempo, em vez de ficar ansiosa por causa delas.

Fé é a decisão de acreditar que a estrada escura que você está percorrendo se iluminará mais adiante, com o nascer do sol.

Fé é a decisão de considerar, repetir e recitar aquilo que Deus diz sobre você e sua vida — apesar do que você vê.

Assim como minha avó optou por acreditar na bondade de Deus quando não havia absolutamente nada de bom a respeito de sua situação, toda mulher de fé verdadeira precisa fazer o mesmo.

> *Fé é a decisão de acreditar que a estrada escura que você está percorrendo se iluminará mais adiante, com o nascer do sol.*

A mulher do reino faz coisas difíceis, e às vezes ter fé com base na Palavra de Deus é a coisa mais simples, porém a mais difícil, que ela terá de fazer.

Minha avó materna, a Vovó, é um exemplo de fé real. É mãe de oito filhos e todos aceitaram Jesus como Salvador pessoal. Isso não aconteceu por acaso. Minha avó passou grande parte do tempo educando os filhos sozinha, porque o emprego de meu avô o manteve longe de casa por longos períodos. Coube a ela a tarefa de cuidar dos filhos, não apenas fisicamente, mas também da alma deles.

Minha mãe e seus irmãos e irmãs ainda se lembram com carinho dos estudos bíblicos matutinos que minha avó dirigia, esperando que ouvissem respeitosamente a Palavra de Deus. Ela fazia isso com crianças que se esforçavam para permanecer quietas no lugar (crianças que às vezes riam ou chamavam a outra de idiota) e com adolescentes que imaginavam ter coisas melhores para fazer. Minha avó leu a Bíblia para eles todos os dias durante anos porque tinha fé — fé de que a Palavra de Deus não voltaria vazia e que ela viveria para ver os filhos amando e servindo ao Senhor. Não foi fácil, mas ela conseguiu.

Essas histórias de minha avó com os filhos no colo me encorajam na fase da vida em que me encontro. Ser mãe é um trabalho que às vezes nos faz esperar mais de vinte anos para receber o primeiro contracheque. Porém, é um pouco mais fácil vencer as risadinhas e os olhares vazios dos jovens adultos sob meu teto porque sei que não sou a primeira a percorrer essa estrada.

E você também não é a primeira a percorrê-la.

A fé que precisamos ter como mulheres cristãs se desenvolve melhor na incubadora de uma comunidade de mulheres cuja fé as levou a percorrer um trecho um pouco mais longo da estrada. Espero que você tenha em sua vida mulheres que a incentivem a continuar a caminhada quando as luzes da rua se apagarem e sua lanterna não funcionar.

Mesmo que você não tenha esse tipo de irmãs cristãs, a Palavra de Deus está repleta de histórias de mulheres que percorreram o mesmo caminho, mulheres que descobriram que vale a pena confiar que Deus é quem ele diz ser e fará o que prometeu.

Assim como Raabe, creia que Deus a libertou de uma vida que não lhe agradava.

Assim como Ana, creia que Deus ouve os anseios guturais de sua alma.

Assim como Rute, creia que Deus pode ajudá-la a atravessar um período de devastação e perda, para que você volte a dançar.

Assim como Bate-Seba, creia que a bondade de Deus é capaz de suplantar as consequências de uma decisão malfeita.

Assim como a mulher à beira do poço, creia que Deus é capaz de satisfazer a sua sede mais intensa.

Assim como Maria, a mulher do frasco de perfume caríssimo, creia que oferecer a Jesus o melhor de tudo o que você é e possui nunca será uma atitude infrutífera.

Assim como Maria, a mãe de Jesus, creia que Deus pode usar mulheres comuns, como você e eu, para ser as portadoras de coisas grandiosas para o restante do mundo ou mesmo para o campo missionário dentro de nossa casa.

Sim, sou abençoada por ter minhas avós comigo e ver o fruto de sua fé, bem como os resultados de sua prática contínua de fé em Deus — quem ele é e o que elas sabem que ele é capaz de fazer.

Você é abençoada porque o mesmo Deus é o *seu* Deus: "Saibam, portanto, que o SENHOR, o seu Deus, é Deus; ele é o Deus fiel, que mantém a aliança e a bondade por mil gerações daqueles que o amam e obedecem aos seus mandamentos" (Dt 7.9).

Mesmo quando há dor, Deus está com você. Mesmo quando a situação é difícil, Deus pode ajudá-la. Mesmo quando as coisas parecem estar fora de controle, Deus age em seu favor.

Ele ouve cada clamor e vê cada lágrima. Não se ausenta quando você está angustiada ou ansiosa. Deus sabe que você não quer percorrer a estrada sozinha. Deus não está de folga, de licença ou fora de ação. Ele sabe que lhe pediu um grande sacrifício, que lhe apresentou escolhas difíceis e que a instruiu a carregar uma cruz pesada.

Tenha fé. Ainda que tudo o que você imaginar tenha o valor de uma semente de mostarda, será suficiente.

Entre em ação

Ainda que sua fé seja pequena, permita que suas ações sejam grandes. Dê um passo adiante e louve o Senhor apesar do sofrimento que está enfrentando. Dê um passo adiante e permaneça na Palavra de Deus, mesmo quando a situação não fizer sentido para as pessoas à sua volta. E mais que isso: dê um passo de fé e ofereça ajuda a outras pessoas que estejam lutando com problemas semelhantes aos seus. Opte por honrar a Deus, oferecendo-lhe algo que esteja perto de você e lhe seja precioso.

Mesmo que sacrifique seu tempo, energia ou desejos pessoais, nada será perdido se você assumir o compromisso de servir ao Senhor.

Mesmo que sacrifique seu tempo, energia ou desejos pessoais, nada será perdido se você assumir o compromisso de servir ao Senhor.

As mulheres do reino entendem que um dos segredos para uma vida cheia do poder da fé é honrar a Deus pelo que você oferece a ele e pelo que oferece aos outros em nome dele. O texto de Lucas 6.38 é citado com frequência, mas poucas pessoas o entendem de fato. Nós o examinamos brevemente no capítulo anterior, mas agora vamos fazer uma análise mais detalhada: "Deem, e lhes será dado: uma boa medida, calcada, sacudida e transbordante será dada a vocês. Pois a medida que usarem também será usada para medir vocês".

Esse versículo resume a essência das duas mulheres sobre as quais falamos neste capítulo. Para receber algo em retorno por sua fé, Ana e a viúva tiveram de dar alguma coisa. Ana assumiu o compromisso com Deus de que, se ele lhe desse um filho, ela o devolveria a ele. A viúva teve de dar tudo o que lhe restara para comer.

Outras mulheres do reino descritas na Bíblia agiram de forma semelhante. Na verdade, já analisamos a vida de Rute. Ela abriu mão da vantagem de um relacionamento com um homem de sua cultura. Teria sido muito mais fácil para Rute encontrar outro homem em seu país que um estrangeiro em outro país. Mesmo assim, ela disse a Noemi, sua sogra, que abriria mão daquela alternativa e a acompanharia. Rute afirmou a Noemi que o povo desta seria seu povo também. Disse que o Deus de Noemi seria o seu Deus. Fundamentada nos valores do reino, Rute tomou a decisão de seguir o único e verdadeiro Deus acima de quaisquer planos convenientes que porventura tivesse.

Rute tinha uma necessidade: estava sozinha, talvez em completa solidão. Mas, em vez de permanecer em casa e tentar agir da melhor maneira para resolver aquela necessidade, ela deu a única coisa de que necessitava a outra pessoa. Noemi tinha pouca chance, talvez nenhuma, de casar novamente. Noemi estava mais sozinha que Rute. Diante dessa realidade, Rute optou por atender à demanda de sua sogra. E, ao dar "o que necessitava" a Noemi, Rute recebeu "o que necessitava" de Deus, na forma de um novo marido, Boaz.

Em 1Samuel, vimos que Ana passou anos sem gerar um filho porque Deus a tornara estéril. No entanto, a situação de Ana mudou quando ela chorou amargamente diante do Senhor e prometeu que daria "o que necessitava" — um filho — a ele se ele lhe desse "o que ela necessitava" — um filho. Ana entregou o filho antes de Deus dá-lo a ela.

Quando Ana deu "o que necessitava" ao serviço de Deus, Deus lhe devolveu porque a tornou fértil de tal forma que ela teve outros cinco filhos.

A viúva de Sarepta carecia de alimento. Deus disse que ela deveria oferecer seu alimento ao profeta. Apesar de não ser prático dar ao profeta a própria coisa de que ela necessitava, a viúva fez aquilo pela fé. Entregou seu alimento e, em retorno, Deus o devolveu a ela. O Senhor deu a essa mulher muito mais que o suficiente até que acabasse o período de fome; então, a viúva foi capaz de cultivar novamente seu alimento.

A fé não está simplesmente vinculada ao ato de crer. Está ligada a uma ação. A fé está amarrada em seus pés. O poder da fé ocorre quando você se dispõe a dar aquilo de que necessita a outra pessoa, para que Deus o devolva a você. Muitas pessoas não recebem respostas às suas orações porque não se dispõem a dar a Deus tudo o que possuem.

Não se dispõem a dar aquilo que estão buscando e necessitando. Dê, e lhe será dada nesta vida uma medida calcada, sacudida e transbordante.

Muitas pessoas não recebem respostas às suas orações porque não se dispõem a dar a Deus tudo o que possuem.

Para entender melhor o significado dessa última frase, precisamos saber que, nos tempos bíblicos, a mulher usava um manto em cujo interior era costurada uma dobra especial. Essa dobra fazia as vezes do que hoje usamos como avental. Quando recolhia grãos, a mulher abria a parte do manto com a dobra e a colheita era despejada em seu colo, por assim dizer.

Para ajuntar a maior quantidade possível de grãos, ela sacudia o avental para acomodá-los em todos os espaços vazios. Dessa forma, criava espaço para mais grãos. Depois, ela pressionava os grãos para caber uma quantidade maior, até transbordarem.[1]

Deus está dizendo que, quando você dá de acordo com a fé que tem nele, ele escolhe outra pessoa para devolver a você em quantidade tão grande que transbordará. Você receberá de volta em abundância.

O poder da fé não garante que Deus responderá à nossa oração; o poder da fé em ação assegura que Deus nos devolverá "infinitamente mais do que tudo o que pedimos ou pensamos" (Ef 3.20).

Fé não é um princípio a ser analisado. Viver pela fé como mulher do reino é um princípio a ser experimentado. Linda ouviu o comunicado do serviço de meteorologia como todos nós. Viu as nuvens. Mas ela conhecia o poder de Deus. Sabia que a cruzada tinha a finalidade de abençoar milhares de pessoas e glorificar o nome do Senhor. A cruzada não pertencia a ela; antes, tinha um objetivo: que os outros conhecessem a bênção de Deus. Em razão disso, Linda orou com fé.

Nunca me esquecerei do momento em que o rapaz sentado ao lado de Linda no estádio lhe ofereceu seu guarda-chuva enquanto as nuvens rolavam no céu. Ela virou-se, olhou para ele, sorriu educadamente e levantou a mão, dizendo: "Não preciso".

E não precisou mesmo. A bem da verdade, nenhum de nós precisou.

6

A BUSCA DA FÉ PROFESSADA PELA MULHER DO REINO

Certa vez, eu estava lutando contra um resfriado e não conseguia me livrar dele. Liguei para meu médico e relatei os sintomas. Ele me disse que eu não precisaria ir a seu consultório e que providenciaria uma receita para mim. Informou qual seria o remédio e como eu deveria proceder.

Pois bem, uma série de coisas entrou em ação. Primeiro, tive de acreditar que estava falando com a pessoa com quem queria falar, porque não podia vê-la. Foi uma conversa por telefone; portanto, tive de prestar atenção à voz do médico. Fiz isso e ele me disse como resolver meu problema. Eu poderia ter permanecido na cama, meditando. Poderia ter acreditado nele, mas continuado na cama, pensando na comodidade de ter um médico que entendeu meu problema e apresentou uma solução. Poderia ter ficado ali pensando como foi bom receber uma solução para meu problema. Mas eu não me sentiria melhor se continuasse deitado, pensando nas palavras do médico. Poderia me sentir feliz por ele ter conversado comigo por telefone, mas continuaria com os mesmos sintomas de quando liguei para ele. Tive de sair da cama, ir à farmácia e perguntar ao farmacêutico: "Você tem uma receita em meu nome?".

Há muitos tipos de remédios na farmácia, mas eu precisava de um designado especificamente para mim. O médico disse que o remédio estaria ali, e agi acreditando em sua palavra.

Além disso, eu poderia ter recebido o remédio e ficado olhando para ele. Poderia ter me certificado de que era o correto para mim. Mas continuaria doente. Ao seguir as instruções do médico, minha confiança aliou-se à ação, e comecei a me sentir bem melhor.

Muitos de nós padecemos de resfriados espirituais. Recorremos, então, a Deus para ouvir o que o Médico vai prescrever, mas nada muda. Nada muda porque paramos aí. Pensamos como foi bom ouvi-lo ou conversar com ele. Alguns de nós recorremos a Deus e nos sentimos bem diante da maravilhosa receita que ele nos prescreveu e do efeito que ela causará, mas continuamos "doentes" porque não ingerimos o "remédio" que Deus nos dá.

A busca pela fé envolve mais que simplesmente recorrer a Deus e à sua Palavra. Embora isso faça parte da fé, a busca verdadeira implica reagir de tal forma que nossas ações obedeçam às instruções de Deus. Somente quando a fé fecha o círculo é que a bênção completa será manifestada em nossa vida. Fé completa é uma atitude sem reservas, sem barreiras, praticada por alguém cuja vida é marcada por atos de convicção.

Fé completa é uma atitude sem reservas, sem barreiras, praticada por alguém cuja vida é marcada por atos de convicção.

Penso que há coisas que acontecem mais com o intuito de impulsionar uma vida caracterizada por ações do que demonstrar fé. Talvez você não tenha sido criada em um ambiente no qual tenha aprendido o significado de viver por fé. Talvez sua vida tenha revelado decepções desde o início, ou talvez tenha sido prejudicada de alguma forma e esteja um pouco "temerosa" de correr riscos. Pode ser que imagine ter muito a perder se der um passo na direção à qual Deus a está conduzindo. Seja como for, as pessoas têm motivos diferentes para deixar de confiar em Deus e recusar ter fé nele.

A Bíblia fala de uma mulher que também teve problemas, mas foi capaz de superá-los *em razão de* sua fé. Ela não permitiu que nada interferisse na tarefa de fazer o que precisava ser feito. Seu problema principal era uma hemorragia:

> E estava ali certa mulher que havia doze anos vinha sofrendo de *hemorragia* e gastara tudo o que tinha com os médicos; mas ninguém pudera curá-la. Ela chegou por trás dele, tocou na borda de seu manto, e imediatamente cessou sua hemorragia. "Quem tocou em mim", perguntou Jesus. Como todos negassem, Pedro disse: "Mestre, a multidão se aglomera e te comprime".
>
> Lucas 8.43-45

A hemorragia, em particular, é um problema complicado porque perda de sangue significa perda de vida — entusiasmo, energia, força, "pois a vida da carne está no sangue" (Lv 17.11). Tenho certeza de que você já ouviu a expressão "sangrou até morrer". O corpo necessita de sangue para viver.

O sangue é uma parte importante da vida. Todas as vezes que você consulta um médico por não estar bem, em geral ele recomenda um exame de sangue. O médico pode descobrir muita coisa quando lê o resultado desse tipo de exame porque o sangue carrega a essência da vida.

Aquela mulher estava sangrando; sua vida começara a definhar doze longos anos atrás. No entanto, não era apenas sua vida física que estava se esvaindo por causa daquele problema que, sem dúvida, a enfraquecia e prejudicava seus órgãos pela falta do oxigênio necessário para funcionar corretamente. Suas finanças também haviam sido atingidas.

Algumas leitoras deste livro sabem o que significa gastar dinheiro com médicos continuamente, por tempo prolongado, sem que o problema de saúde seja resolvido. Enquanto os médicos tentam isso, aquilo e mais aquilo, as contas continuam a minar suas finanças.

Aquela mulher, porém, não sofria apenas de um problema físico e financeiro; sofria também de um problema espiritual. Sabemos disso porque ela era judia e vivia sob a lei do Antigo Testamento: "Quando uma mulher tiver um fluxo de sangue por muitos dias fora da sua menstruação normal, ou um fluxo que continue além desse período, ela ficará impura enquanto durar o corrimento, como nos dias da sua menstruação" (Lv 15.25).

Ser considerada "impura" na cultura israelita era uma condição com múltiplas implicações. Por exemplo, a mulher não podia ser tocada. Significava que seu problema físico de hemorragia era também um problema social, porque ela era forçada a viver sem receber o toque ou o carinho das pessoas. É bem provável que não pudesse sair nem fazer parte das atividades sociais, uma vez que as outras mulheres que a tocassem acidentalmente também seriam consideradas impuras. Aquela mulher também não podia comparecer a atividades religiosas. Provavelmente, tomava vários tônicos para curar a hemorragia, e aqueles remédios provocavam efeitos colaterais. Ela devia ter uma vida solitária, isolada e sofrida. Definitivamente, tinha muitos problemas.

Antes de nos aprofundarmos na história dessa mulher, quero fazer uma pausa para perguntar se você se identifica com ela. Talvez não se reconheça integralmente nessa história, mas será que não existe um problema físico, social, financeiro ou espiritual em sua vida e, por mais que tente resolvê-lo, não consegue? Você gasta dinheiro com médicos, psicólogos, vitaminas, ervas e com a última novidade capaz de curar todos os males? Seja como for, você fica com o bolso vazio e o coração pesado enquanto carrega silenciosamente esse fardo.

Se estas palavras servem para descrevê-la — dolorida, magoada, desanimada, sem esperança, desapontada — e parece que ninguém consegue ajudá-la — na verdade, a ajuda que recebe tende a piorar as coisas —, quero lhe pedir que aprenda com essa mulher.

Depois de doze anos, não há dúvida de que a situação dela parecia insolúvel do ponto de vista humano. Na verdade, duvido que ela sentisse que alguém se importava com seu problema. Para que aquelas circunstâncias melhorassem, algo além dela, além das pessoas e além de tudo o mais teria de acontecer. Ela necessitava de um toque sobrenatural. A mulher de fé necessitava de uma cura sobrenatural; portanto, decidiu ir aonde poderia receber tal cura.

Conforme vimos antes, o texto de Lucas 8 relata que ela abriu caminho na multidão e chegou por trás de Jesus para tocar em seu manto. Mateus 9.20 diz que ela tocou na borda do manto de Cristo. Por que isso é tão importante? Porque, para abaixar-se o suficiente para tocar na borda do manto, ela precisou humilhar-se. Precisou renunciar a todas as formas de orgulho, autopreservação e sabedoria humana. Precisou submeter-se e expor-se, a fim de ser impactada pela Palavra de Deus, isto é, pelo ponto de vista divino acerca de seu problema. Precisou não buscar apoio em seu próprio entendimento (Pv 3.5), mas curvou-se para receber a compreensão de Deus. Precisou parar de olhar para sua situação, conforme ela a via, e começar a olhar para a solução de Deus. Acreditou que, se conseguisse tocar na borda daquele manto, trajado por Jesus Cristo — o Filho de Deus e a Palavra de Deus —, seria curada.

> *A mulher de fé necessitava de uma cura sobrenatural; portanto, decidiu ir aonde poderia receber tal cura.*

Sabemos que ela era uma mulher de grande fé, "pois dizia a si mesma: 'Se eu tão-somente tocar em seu manto, ficarei curada'" (Mt 9.21).

A mulher do reino sabe e crê que a solução para seus problemas não se encontra no dinheiro, no raciocínio humano nem em outras pessoas. Ela encontra a solução ao humilhar-se diante de Jesus Cristo e submeter-se à Palavra de Deus. Muitas vezes, Deus permite que você tente de tudo o que imagina para resolver seus problemas. Permite que gaste todo o seu dinheiro e seu tempo, e se sinta abatida e exausta. Permite isso porque, normalmente, só quando a pessoa chega ao ponto de exaustão e não tem mais opções é que ela olha para a única opção verdadeira de cura definitiva: Deus.

É importante notar que essa mulher do reino entendeu o poder de estabelecer uma ligação entre Jesus Cristo e a Palavra de Deus. Veja bem, se você tem a Palavra escrita, mas não tem a Palavra viva, tem a verdade sem vida. Se tem a Palavra viva a ponto de excluir a Palavra escrita, possui vida, mas não tem a completa revelação da verdade. Contudo, quando tem a Palavra viva e se agarra à Palavra escrita, você desfruta a vida verdadeira. Ao buscar essa combinação por meio da fé, a mulher foi curada imediatamente.

Crônicas de Chrystal

Pine Cove, em Tyler, Texas, é um acampamento cristão que nossa família frequenta todos os anos, há muito tempo, desde que me entendo por gente. Meu pai é quase sempre o palestrante escolhido; assim, quando ele é convidado, todos nós o acompanhamos para uma agradável viagem de férias. Alguns anos atrás, contudo, nossas férias deram uma guinada assustadora.

Certa tarde, depois que as crianças haviam terminado suas atividades, chegou a hora de acomodá-las para um cochilo. Nossa semana estava chegando ao fim, e as mulheres de nossa família decidiram ir à cidade para fazer compras enquanto as crianças pequenas dormiam. Elas ficaram no chalé com o avô, a quem chamavam carinhosamente de "Poppy". Lembro-me de que saímos por volta das 14h30. Enquanto eu me afastava com o carro, recordo-me de ter visto meu filho mais velho, Jesse, olhando pela vidraça do quarto onde deveria estar deitado.

Por volta das 16 horas, recebi um telefonema de meu pai dizendo que a porta da frente do chalé estava aberta e que Jesse, de 3 anos, não estava em casa. Meu pai havia procurado em todos os lugares, mas não encontrara meu filho. Naquele momento, meu coração disparou e meus pulmões se encolheram. Eu mal conseguia respirar. Se por um segundo você já pensou que seu filho sumiu, desapareceu ou pudesse estar em perigo, sabe exatamente do que estou falando. Orei as únicas palavras que consegui pensar no momento: "Senhor Jesus... Por favor, socorre-me".

Disse a mim mesma que precisava manter a calma, confiar em Deus e fazer o possível para encontrar meu filho. Reunimos as garotas, que estavam dispersas pelo *shopping*, e voltamos imediatamente ao acampamento, para ajudar na busca frenética de meu menino.

Estávamos a vinte minutos de distância do acampamento. Aqueles vinte minutos pareceram loucamente lentos. Eu queria que o telefone tocasse, queria que meu pai estivesse do outro lado da linha para me dizer que encontrou Jesse em outro cômodo ou brincando na terra fora do chalé. Mas recebi uma ligação dele dizendo que o pessoal local estava reunido para começar a busca na mata e ao redor do lago no centro do acampamento.

Naqueles momentos, tenho de admitir, a fé não estava funcionando. Tentei. Queria crer. Mas um milhão de imagens passaram por minha mente, e as histórias de outras famílias que vi na televisão encheram meus pensamentos. Arrisco dizer que aqueles longos minutos foram os mais intensos que já enfrentei. Meu coração estava despedaçado por dentro.

Enquanto continuávamos a caminho do acampamento, e mesmo antes de a busca começar, recebemos uma ligação da delegacia de polícia. Um policial havia encontrado Jesse. Meu garoto estava seguro, feliz e pronto para voltar para casa.

Pelo que conseguimos entender, Jesse deve ter saído correndo do quarto e atravessou a porta da frente, na tentativa de nos alcançar quando saímos para o *shopping*. Meu pai estava em seu quarto com a porta aberta, pelo que podia ouvir as crianças, mas, com a agitação das mulheres saindo do chalé, não ouviu nada diferente quando meu filho saiu pela porta. Pouco tempo depois que Jesse saiu do local, algumas pessoas o viram andando a esmo, sozinho, e comunicaram à polícia, que foi ao encontro dele.

Jesse saiu do chalé, depois saiu do acampamento e pegou a estrada principal — uma estrada rural de duas pistas na qual os veículos trafegam a oitenta ou noventa quilômetros por hora. Saiu do chalé só de fraldas — sem meias e sem camisa. Um carro passou por ele, e ele correu atrás do carro, talvez por ser parecido com o nosso. Não sei ao certo. Seja como for, Jesse começou a correr atrás do carro na estrada. O motorista viu, pelo espelho retrovisor, uma criança de fraldas correndo para alcançá-lo e parou imediatamente no acostamento. Aquele motorista anônimo pegou Jesse e levou-o até a casa mais próxima na estrada. De lá, os moradores chamaram a polícia, e todos começaram a se perguntar quem era aquele menino de 3 anos, semidespido.

Antes da chegada da polícia, um funcionário do Pine Cove que se dirigia à cidade notou a agitação e parou para saber o que estava acontecendo. O funcionário sabia que o palestrante do Pine Cove era meu pai e que nossa família inteira o acompanhava. Comentou que meu filho poderia pertencer à família Evans. Assim que a polícia chegou, eles levaram Jesse de volta ao acampamento e nos localizaram. Quando cheguei lá, Jesse estava vestido, brincando com um bichinho de pelúcia que o policial lhe dera, e gostando de toda aquela atenção. Corri na direção de Jesse e peguei-o nos braços. Espero não tê-lo machucado porque o apertei com muita força. As primeiras palavras saídas da boca de meu filho foram: "Mamãe, eu achei você!".

Os policiais nos contaram que Jesse estava feliz. No entanto, disseram também que não sabiam se ele havia chorado, porque havia lágrimas secas em seu rosto. Mas, do momento em que ele correu atrás do carro na estrada e a família o acolheu, ele riu o tempo todo.

Mais tarde naquela noite, perguntei a Jesse por que ele havia saído de casa.

Ele respondeu sem hesitar: "Eu estava procurando você, mamãe".

Meu filho estava me procurando. Estava indo atrás de mim. Viu quando parti em outra direção, acompanhada de muitas tias e parentes, e fez de tudo para me encontrar. Aquilo o fez avançar em direção à estrada, onde suas perninhas de 3 anos correram atrás de um carro. Se Jesse soubesse que não poderia me encontrar e que estaria sozinho em algum lugar, teria chorado. Poderia ter sentado no chão e desistido. Mas, por ter continuado a busca — continuado a procurar qualquer coisa que se parecesse com aquilo que ele procurava —, Jesse correu atrás do carro, o motorista parou e finalmente meu menino me "encontrou".

Estou convencida de que Jesus Cristo esteve ali com o pequeno Jesse, encorajando-o a continuar a procurar, a persistir na buscar, porque ele não desistiu de ir atrás daquilo que, na visão dele, encontraria. E foi por isso que encontrou o que procurava.

"Mamãe, eu achei você!" Aquelas palavras ainda me trazem lágrimas aos olhos e me dão um nó na garganta. Lágrimas de gratidão por uma criança que não desistiu de procurar — e por um Deus que esteve presente com ela o tempo todo.

Não sei o que você está procurando. Não sei qual é o objeto de seus desejos mais profundos. Talvez você saiba exatamente o que quer ou esteja simplesmente lutando com um vazio que não sabe preencher. De qualquer maneira, há uma coisa de que estou certa: vale a pena buscar a Deus. Tome a decisão de não saber nada, "a não ser Jesus Cristo, e este, crucificado" (1Co 2.2).

Deus pode nos conceder mais do que somos capazes de conseguir sem ele.

Quando alguém lhe perguntou qual era a coisa mais importante que uma pessoa deveria fazer, Jesus respondeu: "Ame o Senhor, o seu Deus, de todo o seu coração, de toda a sua alma, de todo o seu entendimento e de todas as suas forças" (Mc 12.30).

Buscar a Deus, querer mais dele acima de todas as outras coisas, é onde a jornada de fé começa. Quando demonstramos, por meio de nossas ações, que acreditamos que ele é bom e exemplificamos, por meio de nossa atividade, que cremos que Deus pode nos conceder mais do que somos capazes de conseguir sem ele, esse é o começo da jornada de fé.

Quem tocou em mim?

Tudo o que o pequeno Jesse sabia quando viu a mãe sair da garagem era que queria encontrá-la. Em sua cabecinha de 3 anos, ele decidiu ir atrás dela da melhor maneira que podia — com seus pezinhos de 3 anos de idade. Embora a situação em tempo real tenha sido, provavelmente, o momento mais assustador de minha vida, a pureza da ilustração de buscar apaixonadamente a pessoa que amamos — no caso de Jesse, sua mãe, Chrystal — é um extraordinário lembrete para cada um de nós sobre como devemos querer estar na presença de Cristo, como devemos nos dispor a deixar a segurança de nossa zona de conforto e dar um passo de fé para buscar o caminho que nos levará para mais perto de Jesus.

Para a mulher que sofria de hemorragia, não foi um passo pequeno optar por abrir caminho no meio de uma multidão que a rejeitava e zombava dela como alguém que não podia ser tocado. Ela buscou a Cristo corajosamente, embora isso a tenha tirado do conforto da obscuridade. E, consequentemente, ela o encontrou e recebeu um milagre.

Um dos elementos mais intrigantes da história dessa mulher é o modo como Jesus ficou sabendo, antes de qualquer outra pessoa, quem o tocara (quando ela encostou na roupa dele). Ele sentiu seu poder sendo usado para curá-la: "'Quem tocou em mim?', perguntou Jesus. Como todos negassem, Pedro disse: 'Mestre, a multidão se aglomera e te comprime'. Mas Jesus disse: 'Alguém tocou em mim; eu sei que de mim saiu poder'" (Lc 8.45-46).

Tenha em mente que há uma diferença fundamental entre a mulher tocar em Jesus e a multidão o comprimindo e o tocando de alguma forma. Quero mais uma vez destacar essa diferença porque se trata de um princípio espiritual que, quando aplicado, abre a porta do poder celestial sobre sua vida como mulher do reino: *A mulher que tocou na borda do manto de Cristo abaixou-se; provavelmente, ajoelhou-se.*

Ela teve de humilhar-se para buscar o verdadeiro objeto de sua fé, a Palavra de Deus. Todas as outras pessoas estavam em pé. Faziam parte da multidão, satisfeitas por aproximar-se de Jesus no mesmo nível e totalmente ignorantes a respeito da própria necessidade de sua Palavra. Um grande número de pessoas na multidão tocou em Jesus ou se espremeu contra ele, mas não recebeu nenhuma manifestação de seu poder.

Veja bem, você pode fazer parte de uma multidão que se reúne na igreja ou congrega para um estudo bíblico, mas, se não se humilhar verdadeiramente diante do Deus vivo e reconhecer sua completa dependência dele e de sua Palavra, ficará apenas nos arredores. Você apenas fará parte do fã-clube de Jesus. Não será tocada. Nada mudará dentro de você porque o poder de Jesus não lhe será liberado.

A mulher do reino caracterizada pela fé precisa buscar Cristo e a autoridade das Escrituras com humildade no coração. Somente quando você se ajoelha para alcançar a borda do manto, quando se humilha sob a autoridade divina de Cristo, crendo em sua Palavra divina, é que recebe o poder de que necessita para viver a plenitude do destino que lhe foi preparado.

> *A mulher do reino caracterizada pela fé precisa buscar Cristo e a autoridade das Escrituras com humildade no coração.*

Você pode receber um toque de Jesus neste momento se estiver disposta a curvar-se o suficiente, a não fazer caso dos olhares das pessoas e a ir em frente com todo o seu sofrimento. Se você se humilhar a ponto de apoderar-se da Palavra, receberá seu poder.

Como pastor de uma congregação razoavelmente grande, noto um padrão de comportamento recorrente. Vejo pessoas que há muito tempo almejam ser curadas e libertadas para servir a Deus, mas que não abandonam o controle, a autodependência e a preservação do *status quo*. Não abrem mão disso e não se humilham. Consequentemente, permanecem nos arredores, sem receber o poder de que necessitam para ter uma vida vitoriosa.

A fé aliada à humildade é o segredo do sucesso de toda mulher do reino. Um teólogo escreveu: "O orgulho precisa morrer dentro de você; caso contrário, nada do céu viverá em você".[1] A mulher que lutou doze anos contra um grave problema de saúde escolheu o caminho da maior humildade diante de Deus, por isso recebeu a maior dádiva de poder e cura.

Na verdade, ajoelhar-se para tocar os cordões azuis presos à borda do manto de Cristo não foi o fim do ato de humildade daquela mulher. Após a transferência do poder de cura, Jesus perguntou quem tocara nele. Ele sabia quem foi, mas perguntou porque queria que a mulher praticasse mais um ato de bravura de fé e humildade. Queria que ela se manifestasse em público. Sabia que ela havia sido curada. Ela sabia que havia sido curada. Marcos 5.29 diz: "Ela sentiu em seu corpo que estava livre do seu sofrimento".

Jesus queria que ela compartilhasse com os outros o que lhe acontecera em razão de sua humildade e fé extraordinárias. Queria que ela saísse da zona de conforto da vida isolada que conhecia há tanto tempo e declarasse publicamente o que ele fizera. Jesus sabia que aquela cura não seria um ato natural a uma mulher desprezada e ignorada. Sabia que ela se sentiria constrangida por ter de falar o que lhe acontecera. Mas ele queria que ela fizesse isso. E se fizesse uma vez, na presença dele, ela teria coragem de falar repetidas vezes. Aquela mulher de grande fé e humildade também precisava descobrir que dispunha de muita coragem. E Jesus estava ali para ajudá-la. Quando a mulher ouviu Jesus perguntar especificamente por ela, "vendo que não conseguiria passar despercebida, veio tremendo e prostrou-se aos seus pés. Na presença de todo o povo contou por que tinha tocado nele e como fora instantaneamente curada" (Lc 8.47).

Ela tremeu. Não estava acostumada a ser notada em grandes multidões. Não costumava fazer parte de uma conversa em público. Mas apresentou-se e disse a Jesus que havia tocado em sua roupa. A resposta de Jesus foi pessoal. A mulher não lhe era nem um pouco estranha. Jesus usou a expressão carinhosa daquela cultura: *filha*. Recompensou-a por sua busca e coragem com outra cura. Recompensou-a com paz, dizendo: "Filha, a sua fé a curou! Vá em paz" (v. 48).

Entre ficar fisicamente curada e ter a coragem de testemunhar o fato, ela estabeleceu um relacionamento com seu Salvador. Passou de "quem?" para "filha". Tornou-se um recipiente de paz dentro da família de Deus.

Nem todas as pessoas têm paz nesta vida. Muitas têm aquilo que poderia ser considerado a bênção da saúde, do dinheiro, das roupas e de uma bela casa. No entanto, Deus pode abençoá-la com uma casa, mas talvez você não tenha um lar. Deus pode abençoá-la com saúde física, mas talvez você continue sentindo angústia mental. Deus pode abençoá-la com coisas que agradem a seus sentidos físicos, mas talvez você não tenha um relacionamento com ele.

As situações com as quais você tem lutado durante anos poderão ser resolvidas no momento em que buscar Cristo com humildade, em público e com todo o seu ser.

Jesus quer fazer mais por você. Ele lhe proporciona os meios. Faz seu corpo funcionar corretamente. E quer que você esteja bem. Porém, mais que isso, ele quer tratá-la como filha. Quer que você tenha coragem de buscá-lo publicamente para ter uma comunhão íntima com ele.

A mulher do reino busca Cristo em particular e em público. É assim que você vê a manifestação dele de uma forma que não consegue explicar e passa pela experiência de ter uma aproximação sem igual com ele. O ato de buscar Jesus enquanto se apodera de sua Palavra libera poder para você. As situações com as quais você tem lutado durante anos poderão ser resolvidas no momento em que buscar Cristo com humildade, em público e com todo o seu ser.

7

AS POSSIBILIDADES DA FÉ PROFESSADA PELA MULHER DO REINO

A história se passou em um inverno rigoroso nas Montanhas Rochosas. A neve se acumulava cada vez mais. A temperatura caiu abaixo de zero e assim continuou. Os rios congelaram. As pessoas estavam sofrendo.

A Cruz Vermelha usou helicópteros para abastecer o povo. Depois de um dia longo e difícil, enquanto retornava para a base no acampamento, a equipe de resgate no helicóptero viu um chalé quase submerso na neve. Um filete de fumaça saía da chaminé. Os homens imaginaram que as pessoas no chalé deviam estar sem comida e sem combustível.

Em razão das árvores que circundavam o chalé, tiveram de pousar o helicóptero a cerca de um quilômetro e meio de distância. Eles puseram o pesado equipamento de emergência nas costas, caminharam penosamente na neve e chegaram ao chalé exaustos, ofegantes e transpirando. Esmurraram a porta, e uma mulher magra e macilenta finalmente apareceu.

O líder da equipe mal conseguiu dizer estas palavras:

— Somos da Cruz Vermelha, senhora.

Ela permaneceu calada por um momento. Depois disse:

— O inverno está sendo muito longo e rigoroso, filho. Não tenho nada para oferecer este ano.

Muitas mulheres se encontram em situação semelhante à daquela mulher na montanha. Parece que você usou a última dose de energia, suprimentos, reservas e experiência para atender às necessidades de sua família e, mesmo assim, alguém bate à sua porta. O problema é que é difícil entender que aquela pessoa não está ali para pedir mais, e sim para oferecer ajuda. Embora a Cruz Vermelha tivesse aparecido para ajudar a mulher, ela supôs que eles eram mais um na longa fila de pessoas que necessitavam de algo.

Às vezes, é difícil distinguir quando Deus está enviando ajuda, porque ela vem embrulhada em um manto de fé. É preciso desembrulhar antes de imaginar o que Deus deseja fazer. Muitas mulheres da Bíblia tiveram de dar um passo de fé quando enfrentaram privações ou necessidades antes de receber a resposta de Deus com bênçãos copiosas. A expressão *dar um salto de fé* envolve uma mudança e um movimento certeiro em uma direção na qual não se vê o destino.

A expressão dar um salto de fé envolve uma mudança e um movimento certeiro em uma direção na qual não se vê o destino.

Eu estava com Lois na África do Sul em 2011 e vimos um belo animal chamado impala. A impala tem a capacidade única de saltar acima de três metros e uma distância de quase dez metros. Na África, a impala corre e salta livremente em reservas de parques abertos para animais selvagens. No entanto, apesar de sua capacidade de dar saltos de grande altura e distância, esse animal pode permanecer fechado em um ambiente de zoológico com uma parede de apenas um metro de altura. Isso porque a impala não salta quando não consegue visualizar onde cairá. Ela permanece presa em limitações autoimpostas, simplesmente por causa de sua incapacidade de dar um *salto de fé*.

Para muitos de nós, fé é uma palavra amorfa que aparentemente não entendemos. Em razão de nossa falta de fé, permanecemos confinados atrás das paredes do medo, da dúvida, da insegurança e da autopreservação. No entanto, a fé é o caminho verdadeiro para a liberdade. Em palavras mais simples, fé é agir sabendo que Deus está dizendo a verdade. Agir sabendo que Deus está dizendo a verdade é agir com base em suas palavras, sem precisar comprová-las antes. Eu costumo resumir fé deste modo: *Fé é agir como se algo fosse* assim, *mesmo quando não é* assim, *para que possa ser* assim *simplesmente porque Deus disse* assim.

A fé está acima de seus sentimentos. Não é uma emoção. Aliás, muitas pessoas *se sentem* cheias de fé, mas não têm fé. Isso porque a fé só funciona e é útil quando entra em ação. A fé sempre tem a ver com os pés. Foi por isso que Paulo disse que devemos andar pela fé — e não falar pela fé. Você sabe que tem fé de acordo com o que faz, e não simplesmente de acordo com o que diz ou sente.

Crônicas de Chrystal

Minha filha mais velha, Kariss, inscreveu-se em uma cooperativa de escolas domésticas durante a adolescência. Recebia lições para fazer em casa via *e-mail* de sua professora de educação física e nutrição. Uma vez que Kariss cursava escola doméstica, sua responsabilidade era terminar a tarefa antes da semana seguinte, quando sua classe se reuniria. Meu trabalho era encontrar maneiras de incluir educação física e nutrição (hábitos saudáveis) em nossa rotina diária. A tarefa para determinada semana era fazer o seguinte:

- Correr/caminhar um quilômetro e meio e registrar o tempo gasto para isso.
- Contar as batidas cardíacas imediatamente após ter terminado o percurso.
- Encontrar a frequência cardíaca máxima desenvolvida e pesquisar a faixa normal de frequência cardíaca máxima.

Reunimo-nos, portanto, em família naquele fim de tarde e fizemos nossos exercícios. Meu marido e minha filha correram lado a lado, cada um em uma esteira rolante, para realizar o percurso estabelecido.

Eu usei um aparelho elíptico, de costas para eles. De vez em quando, dava uma olhada para trás para ver como estavam se saindo. Ao observar que minha filha punha a mão no pescoço constantemente para verificar sua pulsação, senti uma preocupação momentânea, achando que algo estava errado. Mas lembrei-me de que o foco deveria ser o de colocar um pé na frente do outro, mantendo uma respiração rítmica e inspirando o ar profundamente. Mas, ah, não, aquela menina não tirava a mão do pescoço.

Achei aquilo engraçado porque, na caminhada cristã, temos de fazer muitas medições para saber como estamos indo em nossa jornada. Não queremos esquecer nosso devocional todas as manhãs. Tentamos comparecer a qualquer custo aos cultos matutinos de domingo (mesmo que cheguemos atrasados). Damos o dízimo às nossas igrejas — *exatamente* 10%. Medimos a "pulsação" de nossa vida cristã o tempo todo.

No entanto, a medida verdadeira de nossa caminhada com Cristo é saber se estamos colocando um pé na frente do outro, andando com ele e conversando com ele, acreditando pela fé que ele nos ajudará a terminar a corrida que nos foi proposta. "Estou convencido de que aquele que começou boa obra em vocês, vai completá-la até o dia de Cristo Jesus" (Fp 1.6).

A real medida de nosso relacionamento com Cristo e nossa fé em Cristo é a capacidade que temos de agir com base naquilo que conhecemos. É a capacidade de perseverar mesmo quando não conseguimos enxergar o caminho. Fé é aprender a ouvir claramente a voz de Cristo ao longo da jornada à medida que aprendemos a arte de orar sem cessar (1Ts 5.17). Pode-se dizer que a fé não está confinada a determinada hora do dia; ela é como o ar de que necessitamos durante todo o dia. A jornada da mulher do reino destina-se à mulher disposta a aprender o valor de conhecer a Cristo ao longo do caminho de fé, sem manter o foco no caminho em si.

A real medida de nossa caminhada com Cristo é saber quanto "inalamos" dele para abastecer nossa alma até que o poder glorioso de sua ressurreição comece a ressudar por nossos poros: "Fui crucificado com Cristo. Assim, já não sou eu quem vive, mas Cristo vive em mim. A vida que agora vivo no corpo, vivo-a pela fé no filho de Deus, que me amou e se entregou por mim" (Gl 2.20).

O desafio dessa caminhada de fé é ter certeza de que nosso foco está no lugar certo. Embora a "pulsação" ou os indicadores que os cristãos estão acostumados a consultar sejam verdadeiros e nos permitam aferir o que se passa dentro de uma pessoa, eles *não* são nosso objetivo final.

Temos um Deus, um Salvador que deseja que *caminhemos* com ele. Ele deseja um relacionamento que transcenda medidas e marcas de referência. Deseja que o *conheçamos*. Isso não é maravilhoso?

Tenho visto muitos corredores pegarem uma toalha e cobrirem o visor da esteira rolante que revela a distância a percorrer, o tempo restante e as calorias queimadas. Por quê? Porque não querem manter o foco nas estatísticas; querem apreciar a corrida.

Minha esperança era que minha filha não mantivesse o foco na parte mecânica da corrida nem nas regras da corrida, mas que apenas terminasse a corrida, sabendo que todas as outras coisas se resolveriam, desde que ela colocasse um pé na frente do outro.

Essa é também minha esperança em relação a você!

Na vida, alguns caminhos nos conduzem a lugares onde desejamos ir. Outros caminhos provocam efeito contrário. Alguns são suaves, outros são rochosos; alguns são escorregadios, outros nos deixam empacados. Pessoalmente, já percorri caminhos dolorosos e caminhos que me trouxeram tanta alegria a ponto de imaginar que explodiria.

De vez em quando, percorro caminhos que duram um breve momento; outras vezes, pego uma rota que exige o máximo de minha energia, porque parece não ter fim. Também percorro caminhos cercados de beleza e outros cercados de cenas que espero nunca mais ver. Sigo por caminhos que me levaram a becos sem saída; outros me conduzem a lugares que nunca fui capaz de imaginar.

O que aprendi?

A única maneira de viver é escolher um caminho e segui-lo. Explicando melhor: escolher seguir o caminho que Deus colocou diante de nós e, então, pôr um pé na frente do outro. Às vezes, não sabemos o que o caminho nos reserva; aliás, na maioria das vezes, não sabemos aonde ele nos levará. São trilhas com uma direção e um destino que não conseguimos enxergar. Às vezes, o caminho adiante é nebuloso; porém, no íntimo, você sabe que Deus lhe pediu que o percorresse.

Às vezes, o caminho adiante é nebuloso; porém, no íntimo, você sabe que Deus lhe pediu que o percorresse.

Deus sempre pede que trilhemos o caminho da fé. De longe, sou capaz de ver nesse caminho tudo o que desejo. Somente quando escolho trilhar aquele caminho, assimilar todas as cenas e sons, sentir a jornada passo a passo, metro a metro, é que sinto a vida em toda a sua plenitude. Somente quando dou um passo de fé é que sou capaz de chegar a um destino que apenas Deus conhecia, mas que eu não podia ver.

Quando percorro esses caminhos, eu oro:

Senhor, ajuda-me a não apenas ouvir, mas também a agir.

Ajuda-me a não ser apenas uma espectadora, mas também participar da caminhada.

Guarda-me para que eu não permaneça à beira do precipício de minha vida.

Segura minha mão e ajuda-me a deixar pegadas ao longo dos caminhos aos quais me conduzes.

Senhor, ajuda-me a percorrer com coragem os caminhos à minha frente.

Ajuda-me a viver de maneira plena, completa e abundante a vida que me deste.

Permite que eu sinta o poder recebido mediante a vida de Jesus Cristo dentro de mim.

Senhor, permite que eu possa viver dessa maneira, com essa resignação, com esse compromisso, com esse vigor, para que, quando me instruíres a seguir um caminho diferente, cujo destino eu não seja capaz de prever, eu esteja pronta para segui-lo com coragem — sabendo que estás comigo o tempo todo, que não estou sozinha e que só me fizeste percorrer um caminho desconhecido porque desejas que eu cresça durante essa jornada e chegue a um lugar melhor.

Qual é sua oração? Quais são suas preocupações e hesitações? Sejam quais forem suas ansiedades, seus receios, medos ou suas apreensões, siga as instruções que o Pai lhe deu em sua Palavra, para seguir o caminho que ele lhe destinou. Ande ou corra na direção que ele apontar. Coloque um pé na frente do outro e siga o caminho de fé.

Zípora

A Bíblia está repleta de mulheres a quem Deus pediu que seguissem o caminho da fé exatamente como Chrystal descreveu. Na verdade, debrucei-me sobre a Bíblia à procura das histórias certas que deveria extrair para apresentar mulheres de fé. Deparei com tantas mulheres que precisei selecionar e escolher. Não há páginas suficientes neste livro para incluir todas elas, mas quero analisar com você algumas dessas histórias extraordinárias.

Pouco se conhece a respeito de Zípora. Sabemos que ela descendia de africanos. Era filha de um homem chamado Jetro, o qual ocupava uma posição respeitável como sacerdote de Midiã. Sabemos também que Zípora se casou com Moisés depois que ele fugiu do Egito, e que esse casamento entre pessoas de raças distintas foi responsável por algumas contendas na família biológica de Moisés (Nm 12).

Zípora era uma prosélita. Acreditava em um único e verdadeiro Deus — o Deus de Moisés. E demonstrou temor a Deus e fé nele em uma ocasião em que seu marido parecia ter perdido a fé.

Moisés havia sido instruído a circuncidar seu primogênito como demonstração de seu comprometimento com a aliança de Deus. A aliança foi o único acordo que Deus estabeleceu com seus seguidores, os israelitas. Segundo a cultura e a tradição locais, cabia ao pai a responsabilidade de criar a família na fé e ensiná-la a cumprir os vários atos simbólicos e demonstrações de fé.

Deus disse a Moisés que lhe reservara uma missão muito grande. Moisés deveria dizer ao faraó que o julgamento divino estava prestes a chegar: "Depois diga ao faraó que assim diz o SENHOR: Israel é o meu primeiro filho" (Êx 4.22). O primogênito era o filho de privilégio e honra. Deus estava deixando claro ao faraó que queria que seus filhos, os israelitas, recebessem permissão para partir.

O faraó, contudo, não permitiu que Israel partisse, ao que Deus afirmou: "Mas você não quis deixá-lo ir; por isso matarei o seu primeiro filho!" (v. 23).

Deus disse claramente a Moisés que ele deveria transmitir aquela mensagem ao faraó. Porém, o profeta se viu em problemas: "Numa hospedaria ao longo do caminho, o SENHOR foi ao encontro de Moisés e procurou matá-lo" (v. 24).

Tratava-se do mesmo Moisés acerca de quem Deus dissera que tinha planos grandiosos. Tratava-se do mesmo Moisés que Deus escolhera como líder e porta-voz. E, no entanto, Deus quis matar Moisés. Essa foi uma grande virada nos acontecimentos, se é que houve uma virada. Sabemos que isso ocorreu por causa do que Zípora fez a seguir. "Mas Zípora pegou uma pedra afiada, cortou o prepúcio de seu filho e tocou os pés de Moisés" (v. 25).

Zípora fez o que Moisés deixou de fazer.

Zípora encontrou coragem para levar a efeito o que Moisés não conseguiu.

Quando Moisés deixou de ser o líder espiritual de sua casa, Zípora deu um passo de fé e expôs-se para proteger o marido.

Moisés deixara de incluir seu filho na aliança com Deus; então, Zípora assumiu as rédeas da situação, pois temia a Deus.

Zípora sabia que o julgamento de Deus pesava sobre seu marido, por isso fez o que muitas mulheres fizeram ao longo das eras. Posicionou-se entre o julgamento de Deus e a pessoa que seria julgada. Essa interposição ocorre quando agimos em obediência, na tentativa de desviar o julgamento de Deus dirigido a outra pessoa.

Muitas mulheres se interpuseram como ato de fé em favor de outra pessoa — talvez um filho rebelde ou mesmo um marido. Elas desviaram o julgamento de Deus e, com isso, trouxeram bênção.

O ato de fé realizado por Zípora foi acompanhado de um pouco de frustração. "Mas Zípora pegou uma pedra afiada, cortou o prepúcio de seu filho e tocou os pés de Moisés. E disse: 'Você é para mim um marido de sangue!'" (v. 25). Ela estava aborrecida. Caíra sobre seus ombros a responsabilidade de cuidar de uma tarefa de suma importância espiritual, e ela quis que seu marido soubesse como se sentia. Deus estava irado com Moisés, e Moisés poderia ter levado sua família à destruição. A fé demonstrada por Zípora interpôs-se entre aquela destruição e um futuro.

Em consequência da força da fé professada por Zípora, "o SENHOR o deixou" (v. 26). Sua fé salvou a vida de Moisés e de sua família.

Muitas vidas têm sido salvas por causa da interposição da mulher do reino em situações nas quais o marido e/ou o pai fraqueja. Tenho visto isso inúmeras vezes.

Nos vários cenários de aconselhamento, vejo que o homem está claramente errado nas questões espirituais, e mesmo assim Deus parece abençoar o casal de uma forma ou de outra em razão da fé demonstrada pela mulher. Isso levanta perguntas que costumo ouvir nas sessões de aconselhamento: O que devo fazer se

Muitas vidas têm sido salvas por causa da interposição da mulher do reino em situações nas quais o marido e/ou o pai fraqueja.

meu marido não está sendo o líder da família? Se ele não está assumindo a responsabilidade pela direção ou liderança espiritual em casa? Como posso ser submissa diante da falta de submissão dele a Deus? Como acompanhar um carro estacionado? É evidente que o homem não está dirigindo a família espiritualmente, mas ele não quer dirigi-la. O que fazer?

A vida de Zípora fornece uma resposta. Quando se trata de obedecer a Deus — cumprir os mandamentos dele —, você precisa agir. Quando se trata de um princípio — não de preferência —, você se submete a Deus. Veja bem, submissão não significa não fazer nada. Submissão significa sujeitar-se à vontade divina revelada, pois seu compromisso com ele é maior que o compromisso que você assumiu com seu marido. Os homens em geral pensam que ser o "cabeça" é um cheque em branco que lhes permite mandar a esposa fazer o que eles querem. Se a esposa não o faz, o marido a chama de "rebelde" ou "insubmissa". Mas o valor legal de ser o cabeça está na submissão do chefe, do homem, à autoridade de Jesus Cristo. Os homens quase sempre citam apenas uma parte do versículo, deixando de fora o significado completo. A Bíblia, porém, destaca a definição de chefe ou cabeça da casa: "Quero, porém, que entendam que o cabeça de todo homem é Cristo, e o cabeça da mulher é o homem, e o cabeça de Cristo é Deus" (1Co 11.3).

A ordem é clara: Deus, Cristo, homem, mulher. Pedir a uma mulher que se submeta a um homem que não está sob a autoridade de Deus e de Cristo é pedir-lhe que se submeta a algo que não seja Deus, o que ela jamais deveria fazer. O homem tem a responsabilidade de submeter-se a Deus antes de pedir à esposa que lhe seja submissa.

Depois de muitos anos lidando com casais problemáticos, concluí que este é o ponto principal de discórdia: a mulher luta entre ser submissa a um homem que não está sendo maduro espiritualmente ou aos ensinamentos recebidos de Deus sobre como ela deve viver. Caso o homem não se submeta aos princípios divinos, deve-se optar pela submissão a Deus quando há uma escolha a ser feita sobre um princípio espiritual específico.

É por isso que a Bíblia limita o uso da palavra *submissão*. Não se trata de submissão incondicional. A Bíblia diz claramente que a mulher deve ser submissa a seu marido "como ao Senhor" (Ef 5.22). Em outras palavras, há um compromisso maior que com o assumido com o marido, e esse compromisso é com Deus. Portanto, se alguém tentar lhe dizer que submissão significa fazer tudo o que seu marido mandar (quer Deus concorde, quer não), essa pessoa está usando o termo de maneira incorreta. Infelizmente, esse é um dos princípios mais mal usados e deturpados nos lares cristãos de hoje — e quase sempre é uma das causas principais da destruição de um lar.

Zípora honrou Moisés honrando a Deus. Em consequência de sua fé, sua família foi salva.

Raabe

Outra mulher que se interpôs em favor de sua casa foi Raabe. A julgar apenas por seu nome, Raabe não descendia de uma família que acreditava no Deus verdadeiro. O nome de Raabe começa com a palavra *Ra*. Ra é o nome de um falso deus que representa o sol, ou poderes criadores. Raabe pertencia a um povo conhecido como cananeu. Criada em um ambiente pagão, escolheu uma vida indigna depois de adulta. Algumas pessoas a chamavam de prostituta ou meretriz. Outras se referiam a ela como libertina, garota de programa, devassa ou rameira. No entanto, todos os títulos tinham o mesmo significado: Raabe ganhava a vida satisfazendo os desejos sexuais dos homens.

Como em todo comércio, o sucesso do negócio de Raabe era este: a localização. Ela conseguiu o lugar principal no muro da cidade. Tanto os viajantes que entravam na cidade como os cidadãos que saíam dela podiam parar e passar um minuto, ou dez, com Raabe. Lemos que "a casa em que morava fazia parte do muro da cidade" (Js 2.15).

O fato de os estrangeiros visitarem a casa de Raabe com tanta frequência deve ter sido o motivo pelo qual os espiões enviados por Josué para examinar a terra decidiram parar e esconder-se na casa dela. Embora os espiões tivessem tentado fugir sem ser notados, a presença deles atraiu a atenção dos homens do rei. O rei enviou emissários para persegui-los.

Raabe teve de enfrentar a maior decisão de sua vida. Deveria arriscar-se a ser morta por abrigar espiões — se os emissários do rei os encontrassem — ou arriscar-se à grande desgraça vinda da parte do Deus dos israelitas? É possível dizer muita coisa a respeito das pessoas, mais pelo que fazem do que pelo que dizem. As ações de Raabe revelaram onde ela depositava sua fé: no único e verdadeiro Deus. Sabemos disso porque ela despachou os emissários do rei durante a caçada violenta aos israelitas enquanto ajudava os espiões a se esconderem do exército perseguidor.

Raabe sustentou suas ações com palavras quando revelou por que fez o que fez:

> Sei que o SENHOR lhes deu esta terra. Vocês nos causaram um medo terrível, e todos os habitantes desta terra estão apavorados por causa de vocês. Pois temos ouvido como o SENHOR secou as águas do mar Vermelho perante vocês quando saíram do Egito, e o que vocês fizeram a leste do Jordão com Seom e Ogue, os dois reis amorreus que vocês aniquilaram. Quando soubemos disso, o povo desanimou-se completamente, e por causa de vocês todos perderam a coragem, pois o SENHOR, o seu Deus, é Deus em cima nos céus e embaixo na terra.
>
> Josué 2.9-11

A fé professada por Raabe controlou seus pés. Sua fé ditou suas ações. Essa mesma fé determinou o que ela fez. Raabe escondeu os espiões e lhes contou por quê. E não parou aí. Disse-lhes também que queria fazer um acordo. Afinal, salvara a vida deles; portanto, a recíproca seria salvá-la e fazer o mesmo à sua família.

> Jurem-me pelo SENHOR que, assim como eu fui bondosa com vocês, vocês também serão bondosos com a minha família. Deem-me um sinal seguro de que pouparão a vida de meu pai e de minha mãe, de meus irmãos e de minhas irmãs, e de tudo o que lhes pertence. Livrem-nos da morte.
>
> Josué 2.12-13

Raabe fez um acordo com o povo de Deus. Pediu bondade e lembrou-os de que acabara de ser *bondosa* com eles. Em razão disso, queria que fossem *bondosos* com ela e com sua família. Raabe usou a palavra hebraica *chesed*, que desde então tem sido traduzida por "bondoso". *Chesed* não tem apenas esse significado, mas significa especificamente lealdade e fidelidade.[1] *Chesed* aparece mais de duzentas vezes no Antigo Testamento e refere-se à atitude em relação a um acordo ou aliança. É a palavra usada com mais frequência que qualquer outra para definir a ligação feita por meio de um pacto. Na maioria das vezes, era usada para descrever a aliança de Deus abrangendo o povo de Israel apesar de sua infidelidade.

Chesed significa atos de bondade e amor. Refere-se a um amor leal, quer a outra pessoa mereça, quer não. Raabe sabia que seu passado, sua história e sua cultura não apresentavam nada que lhe permitisse pedir misericórdia aos israelitas. Pediu, portanto, a eles que se lembrassem de seu único ato de fé com uma aliança de bondade.

Em razão disso, a fé demonstrada por Raabe fez de uma meretriz uma santa. Além de os espiões terem honrado seu pedido e salvado todos os que estavam na casa dela, Raabe passou a ocupar o lugar da mais alta honra dos israelitas. Seu nome encontra-se na galeria de exemplos de fé em Hebreus 11. Sua fé colocou-a no mesmo capítulo que menciona o patriarca Abraão. Ela aparece lado a lado com outros homens e mulheres de fé corajosa.

A fé demonstrada por Raabe fez de uma meretriz uma santa.

Há um aspecto interessante da história de Raabe que quase sempre passa despercebido: como ela e sua família sobreviveram. Afinal, a Bíblia diz que a casa de Raabe fazia parte do muro da cidade. No entanto, a Bíblia também diz que os israelitas marcharam ao redor da cidade uma vez por dia durante seis dias e que no sétimo dia marcharam ao redor dela sete vezes, tocaram trombetas, gritaram e o muro desabou (Js 6). O marco zero de Jericó transformou-se em verdadeiras ruínas.

Exceto um lugar. A casa de Raabe.

Enquanto o muro desmoronava ao redor da família de Raabe, sua casa permaneceu intacta. Ela e sua família foram protegidas. Tenho certeza de que as pessoas não entenderam isso na época, e muitas nem sequer acreditaram por que os habitantes daquela casa não pereceram. Mas eles foram protegidos por causa da cobertura da aliança *chesed* de Deus.

Há uma história verdadeira e interessante contada sobre o marco zero no World Trade Center, em Nova York. Depois de mais um mês de buscas e limpeza entre os escombros, a equipe de resgate, que havia vasculhado desesperadamente o solo à procura de qualquer vida ou esperança, deparou com uma pereira da espécie *pyrus calleryana* ainda viva. De alguma forma, enterrada sob um monte de poeira, ruínas, concreto e metais retorcidos, aquela árvore sobreviveu.

Na ocasião em que os operários a retiraram dos escombros, ela estava muito queimada, restando-lhe apenas um galho. Aparentemente, aquela pereira não estava pronta para morrer quando tudo ao seu redor ruiu. Ela sobreviveu àquilo que nenhum outro organismo vivo sobreviveria.

Avançando rapidamente no tempo, um pouco mais de uma década, vemos que a Árvore Sobrevivente — como tem sido chamada com respeito e carinho junto com mais outras cinco — tem hoje quase dez metros de altura, depois de ter sido replantada nos jardins memoriais em homenagem aos mortos do Onze de Setembro.[2]

A Árvore Sobrevivente nos oferece um lembrete sobre o poder da esperança. Também nos aponta para outra árvore em forma de cruz, erguida em uma colina há mais de dois mil anos. Essa árvore e a vida presa a ela sobreviveram à destruição ao redor quando os pecados do mundo desmoronaram a seus pés, enviando às profundezas da terra aquele que nela foi pendurado. Três dias depois, porém, Deus ressuscitou Jesus dentre os mortos, oferecendo àqueles que confiam nele uma esperança viva e vida abundante mais poderosa que qualquer outra coisa que enfrentaram.

Raabe conhecia o poder dessa esperança. Conhecia a força da fé. Sua história também é a de uma sobrevivente. Afinal, sua casa ficava no muro. Naquela época em Jericó, as pessoas morreram por uma destas causas: ou em consequência da queda do muro que as esmagou, ou por terem caído nas mãos do exército israelita.

Os espiões honraram o pedido de Raabe para que não a prejudicassem nem à sua família enquanto eles permaneceram em sua casa. Mas os espiões não tinham controle sobre como o muro cairia ou que porção permaneceria intacta.

Eu gostaria muito de saber em que Raabe e sua família estavam pensando quando sentiram os tremores do muro de Jericó começando a ruir. Aqueles moradores haviam sido instruídos a não sair de casa, e agora a própria casa ameaçava enterrá-los vivos.

Alguns dizem que Raabe demonstrou fé ao esconder os espiões. No entanto, sua maior fé foi ter permanecido dentro de casa enquanto as paredes ao redor dela desmoronavam.

Imagine a tentação de sair correndo quando os tremores, abalos e desmoronamentos começaram. Mesmo assim, Raabe ficou em casa por causa de sua fé nas palavras dos espiões — e, em última análise, por causa de sua fé em Deus, sabendo que sua proteção estava no interior da casa, conforme havia sido instruída.

Tudo o que o exército fez, tudo o que pôde fazer, foi marchar ao redor do muro. A Bíblia não menciona em nenhum lugar que, quando chegou à parte do muro onde Raabe morava, o exército andou na ponta dos pés. Ao contrário, Deus derrubou o muro todo enquanto protegia a parte onde Raabe e sua família permaneceram.

Talvez você sinta que tudo ao redor está desmoronando. Pode ser que esteja vendo tremores em sua vida, e as paredes que deveriam ampará-la e protegê-la estão ruindo. No entanto, se estiver onde Deus diz que você deve estar, permaneça aí. Saiba que você pode confiar em Deus apesar de tudo o que está acontecendo ao seu redor.

Saiba que você pode confiar em Deus apesar de tudo o que está acontecendo ao seu redor.

Tanto Zípora como Raabe nos oferecem exemplos de mulheres cujas possibilidades aumentaram graças à sua fé. O desobediente marido de Zípora acabou se tornando o responsável pela libertação de Israel da escravidão no Egito. Raabe casou-se com um respeitável construtor e arquiteto chamado Salmom, fundador da cidade de Belém (1Cr 2.11-51,54).

Nenhuma dessas mulheres era descendente do povo de Israel. A julgar por sua cultura e vizinhança, nenhuma delas teria sido reconhecida como mulher de muito potencial. Não sabemos nada sobre o passado de Zípora, mas sabemos que Raabe tinha um passado conhecido. Apesar de tudo isso, Deus honrou a fé demonstrada por essas duas mulheres, que, com o tempo, desfrutaram seu glorioso destino.

Não sei o que aconteceu em sua vida — talvez você tenha tido um filho fora do casamento ou se casou com um homem violento que a maltratou e abusou de você. Ou talvez tenha feito escolhas que a levaram para longe da vontade de Deus. Seja qual for o caso, sei que, se responder com fé ao único e verdadeiro Deus, você o honrará com suas ações apesar do caos ao seu redor. Se escolher trilhar o caminho da fé que ele lhe preparou, mesmo quando não tiver certeza da consequência disso, ele a honrará, protegerá e a confirmará como mulher do reino.

8

A ORAÇÃO DE FÉ PROFERIDA PELA MULHER DO REINO

Conta-se a história de uma encantadora senhora cristã. Ela possuía pouco dinheiro e morava em uma casa em péssimo estado, mas louvava sempre ao Senhor. Seu único problema era com o idoso que vivia na casa ao lado. Ele estava sempre tentando provar que Deus não existia.

Um dia, ao passar na frente da casa dessa senhora, o homem a avistou através de uma janela aberta. Ela estava ajoelhada em oração, então ele se aproximou sorrateiramente da janela para ouvi-la. Ela estava orando: "Senhor, sempre atendeste a todas as minhas necessidades. E agora sabes que não tenho dinheiro, estou sem nenhum alimento em casa e só vou receber outro cheque daqui a uma semana". Ela parou e, então, prosseguiu: "Poderias, Senhor, enviar-me um pouco de alimento?".

O homem ouviu o pedido dela. Afastou-se da janela e correu até o supermercado. Comprou leite, pão e bolo de carne e voltou à casa da mulher carregando as compras. Colocou o saco de compras junto à porta, tocou a campainha e se escondeu na lateral da casa. Você pode imaginar a reação da mulher ao ver o saco com os alimentos. Ela levantou as mãos e começou a louvar ao Senhor.

— Obrigada, Jesus! — ela gritou. — Eu não tinha nada em casa e me deste estes alimentos.

Naquele instante o homem apareceu e disse:

— Desta vez eu peguei você.

Ela estava tão alegre gritando "Obrigada" a Jesus que não prestou atenção àquelas palavras, por isso ele continuou:

— Eu lhe disse que Deus não existe. Não foi Jesus quem lhe deu estes alimentos. Fui eu.

— Não foi, não — a mulher replicou. — Jesus me deu estes alimentos e fez o diabo pagar por eles.

A oração é uma arma poderosa nas mãos da mulher do reino. Deus pode até usar o incrédulo para responder às orações de seus filhos e filhas. Deus costuma agir por intermédio das pessoas, mesmo daquelas mais improváveis. Ele faz isso em conjunto com a humanidade. E faz isso em resposta às nossas orações.

A oração é uma arma poderosa nas mãos da mulher do reino.

Quando decidiu a quem usar como uma das mais belas ilustrações sobre a oração, Deus escolheu uma mulher. Ressaltou a tenacidade e a força dessa mulher como uma meta que todos nós, homens e mulheres, devemos ter em nosso relacionamento com ele. A mulher entendeu o poder da persistência. Entendeu que, às vezes, a vida é injusta e que talvez sua voz não fosse ouvida, reconhecida ou valorizada, mas, em razão de seus direitos legais, ela encontrou coragem para continuar a pedir o que lhe pertencia.

Lucas afirma claramente a premissa da parábola que Jesus contou acerca dessa mulher ao dizer, no início da história: "Então Jesus contou aos seus discípulos uma parábola, para mostrar-lhes que eles deviam orar sempre e nunca desanimar" (18.1). Jesus não estava falando de desistir nem de jogar a toalha quando sentimos que não conseguimos mais suportar ou quando julgamos que nossas orações não estão sendo respondidas de acordo com o que imaginamos. Jesus queria lembrar a cada um de nós o poder encontrado quando persistimos corretamente. A parábola refere-se àqueles momentos em que não sabemos até que ponto conseguiremos aguentar as circunstâncias que nos cercam.

Em geral, as pessoas desmaiam quando não conseguem respirar fundo ou não recebem oxigênio suficiente para seus pulmões. Luto com a asma desde a infância. Meu pai me levava ao pronto-socorro quando eu tinha crises de asma. Se você já sofreu desse mal, sabe que, quando ele ataca, parece não haver ar suficiente para inspirar. Aquilo que quase sempre é uma ação subconsciente — o ato de respirar — passa para o primeiro plano da mente. A respiração se torna uma atividade intencional.

O mesmo se aplica à oração. Quando tudo vai bem em nossa vida, proferimos uma oração aqui, ali ou acolá, sem pensar muito. Quando, porém, enfrentamos lutas ou dificuldades, elas têm o poder de aumentar a intencionalidade de nossa vida de oração. No entanto, quando não vemos nenhuma solução ao longo do tempo, é fácil pensar que nossas orações não estão fazendo nenhuma diferença, e paramos de orar. Porém, o que Jesus ilustrou na parábola da mulher perante o juiz injusto é que, mesmo que a situação dê sinais de que não vai melhorar, precisamos manter contato com Deus, porque a oração deve ser uma orientação, e não uma posição. A oração persistente é um modo de vida que produz resultados. Orar é mais que dobrar os joelhos, cruzar as mãos e fechar os olhos. É trabalhar em conjunto com Deus. Envolve exercitar nossa autoridade para que o céu intervenha em nossa situação terrena.

A viúva e o juiz

A parábola descrita em Lucas 18 começa informando-nos que, em determinada cidade, havia um juiz que não temia nem os homens nem a Deus. Em outras palavras, aquele homem não se importava com o que alguém dissesse ou pensasse a seu respeito, porque ele era o juiz. Nos tempos bíblicos, a situação assemelhava-se ao velho oeste dos Estados Unidos, quando um juiz viajava de uma cidade a outra para solucionar casos, resolver disputas ou pronunciar veredictos.

O juiz da parábola devia ter numerosos casos para cuidar em sua área de autoridade. E, com o tempo, ganhou a fama de ser um juiz injusto. Juízes como ele eram alvos fáceis de suborno. Os ricos sempre lhe pagavam para que ele legislasse em seu favor. A viúva que apresentou um caso a ele provavelmente não tinha dinheiro nem influência. Não tinha a chance de ser ouvida e receber uma solução para seu problema. Mas aquilo não a impediu de tentar.

De Gênesis a Apocalipse, quando deseja ressaltar um ponto, Deus quase sempre escolhe ilustrá-lo usando o indivíduo mais humilde dentre os humildes. Ele costuma destacar os órfãos ou as viúvas, porque estes representam as pessoas mais vulneráveis da sociedade. Nos tempos bíblicos, a viúva tinha uma série de desvantagens. Primeiro, havia pouca proteção às mulheres. Se a mulher não tivesse um marido que a protegesse, o povo não se levantava para defendê-la.

Segundo, naquela época, as viúvas eram, em geral, pobres, sem nenhum recurso financeiro, uma vez que a maioria dos empregos era preenchida pelos homens. Além disso, o fato de aquela viúva em particular ter de recorrer ao juiz significa que ela não tinha amigos nem parentes para defendê-la. Ela precisava agir por conta própria. Estava sozinha, e aparentemente o mundo inteiro lhe dera as costas.

Jesus não menciona os detalhes exatos do caso que ela levou ao juiz, mas sabemos que algo errado acontecera. Algo precisava ser solucionado legalmente. Sabemos que ela estava pedindo proteção legal contra um adversário. Ela deve ter se sentido vulnerável, em perigo e apavorada. Necessitava que a lei atuasse como árbitro entre ela e o adversário, cujo objetivo era prejudicá-la.

Por isso, pelo fato de não ter recebido do juiz injusto a proteção a que tinha direito por lei, ela decidiu continuar a pedir. Não desistiu. Alguém queria prejudicá-la e ela não tinha capacidade, dinheiro nem poder para detê-lo. Somente a lei poderia fazer isso.

Antes de nos aprofundarmos na história, quero fazer uma pausa para lhe formular uma pergunta: Você já esteve em uma situação na qual as pessoas que deveriam ajudá-la não fizeram nada ou não se mostraram dispostas quando você mais necessitou delas? Já se sentiu sozinha e vulnerável e, mesmo assim, inteiramente convencida de que o que lhe aconteceu estava errado e talvez fosse até ilegal? Se já teve sentimentos semelhantes a esses, conhece a situação em que aquela mulher se encontrava. Ela não tinha meios de se proteger em sua cultura ou em seu ambiente. Sabia que, se o juiz não interviesse em seu socorro, não teria outro recurso para se proteger nem para vencer sobre seu adversário.

O juiz, contudo, não se importou com ela. Não se dispôs a ajudá-la e não se comoveu com seu problema. Era um juiz injusto e não queria saber se aquela mulher tinha direitos legais. Porém, o que Jesus destacou na história foi que, embora não tivesse disposição para ajudar a mulher, o juiz interveio em seu favor simplesmente para livrar-se dela: "Por algum tempo ele se recusou. Mas finalmente disse a si mesmo: 'Embora eu não tema a Deus nem me importe com os homens, esta viúva está me aborrecendo; vou fazer-lhe justiça para que ela não venha mais me importunar'" (Lc 18.4-5).

Você já esteve em uma situação na qual as pessoas que deveriam ajudá-la não fizeram nada?

Na verdade, o juiz não queria mais ser importunado. Não queria ter de ouvir continuamente o problema dela. Ele não se preocupava com a situação que ela lhe apresentava, nem mesmo se importava com o que Deus ou as outras pessoas pensassem a respeito, mas estava cansado de ouvir as queixas dela. Imaginou que havia apenas uma forma de se livrar daquilo: dar o que a mulher pedira! E foi o que ele fez. Deu-lhe a proteção legal a que ela tinha direito.

Sabemos quanto o juiz se sentiu incomodado diante da persistência daquela mulher porque a palavra grega traduzida por "importunar" é "deixar o olho roxo".[1] A questão não era se a mulher daria um soco no olho do juiz a ponto de deixá-lo roxo. Deixar o olho roxo significava destruir a reputação de alguém. Além de importunar o juiz injusto, a mulher sabia que, se continuasse a insistir, teria condições de arruinar o nome dele em razão de sua recusa em cumprir sua obrigação legal.

A mulher estava comparecendo a um tribunal público e dizendo ao juiz que ele estava deixando de agir corretamente. Ela levou o assunto para além de seu desejo de proteção legal. Pôs o nome do juiz em dúvida e fez isso em público. Portanto, para livrar-se da mulher e proteger sua reputação, o juiz concedeu o que era dela por direito.

Jesus estabelece um contraste interessante entre a viúva, o juiz injusto e nós perante Deus: "Acaso Deus não fará justiça aos seus escolhidos, que clamam a ele dia e noite? Continuará fazendo-os esperar? Eu lhes digo: Ele lhes fará justiça, e depressa. Contudo, quando o Filho do homem vier, encontrará fé na terra?" (v. 7-8). Jesus deixou claro que, se um juiz injusto que não se importava com Deus, com as pessoas, com a justiça nem com a lei — mas se importava o suficiente com seu conforto e reputação — atendeu ao apelo daquela mulher, Deus — que é justo, reto e compassivo — fará muito mais justiça a seus eleitos.

A viúva era uma estranha ao juiz. Os eleitos não são estranhos a Deus. Os eleitos são os escolhidos de Deus; são seus filhos. Você e eu pertencemos a Jesus Cristo e somos seus eleitos. Se um juiz injusto garantiu proteção legal a uma estranha para proteger sua reputação, quanto mais Deus não fará para levar justiça a seus filhos, não apenas para proteger o nome dele, mas também para proteger aqueles a quem ama? Jesus deixou isto bem claro: ele não demorará em fazer justiça quando você o buscar como a mulher buscou o juiz.

Exigindo seus direitos legais

Nessa parábola, Jesus recorreu a um conceito interessante, mas fácil de ser ignorado. Ele o usou algumas vezes: o conceito da justiça ou da proteção legal. A questão em pauta não era se o juiz conhecia a mulher, gostava dela ou sentia pena dela. A questão em jogo era a lei. A viúva precisava que o juiz usasse o poder da lei para sua situação, porque seu adversário a estava tratando injustamente. Ela precisava de uma intervenção legal.

Veja, não há nada que chame mais a atenção de Deus que o relacionamento que ele tem com você, a compaixão que nutre por você, ou mesmo o amor do nome dele próprio. Como filha do Rei, você é herdeira e tem "direitos legais". Esses "direitos" existem por causa da nova aliança da qual você começou a fazer parte quando confiou em Jesus Cristo para ser salva. O problema que você pode estar enfrentando hoje pode estar relacionado à aliança entre você e Deus. Se for, você está livre para suplicar a ele por auxílio.

Apesar de não se importar com a mulher, o juiz injusto atendeu ao seu pedido e lhe deu o que era dela por direito, porque ela confrontou-o com a lei. A reputação dos juízes estava em jogo, uma vez que ele não estava seguindo a lei, que era obrigado a cumprir.

Deus é um Deus de aliança. É também um Deus de palavra. Ele se obrigou a cumprir sua Palavra. Vinculou seu próprio nome e sua reputação àquilo que disse. E, sendo justo por natureza, Deus se comprometeu com seu padrão de justiça e agirá de acordo com sua aliança.

Contudo, muitos cristãos não entendem quais são seus "direitos" segundo a aliança de Deus. Se a viúva não soubesse quais eram seus direitos legais, não teria levado nada perante o juiz injusto. Mas ela conhecia a lei e sabia o que o juiz era legalmente obrigado a lhe conceder, por isso apresentou-se várias vezes e com confiança para pedir o que lhe pertencia por direito. Pelo fato de conhecer a lei, ela teve uma base na qual se apoiar.

Lembra-se de quando analisamos a cura da mulher que viveu encurvada durante dezoito anos? Depois que Jesus a curou, os dirigentes da sinagoga se indignaram porque a cura foi realizada no sábado. Disseram a Jesus que não era permitido trabalhar nesse dia. A resposta de Jesus foi poderosa. Ele apelou para o direito da mulher estabelecido pela aliança, dizendo: "Então, esta mulher, uma filha de Abraão, a quem Satanás mantinha presa por dezoito longos anos, não deveria no dia de sábado ser libertada daquilo que a prendia?" (Lc 13.16).

Ora, a lei do sábado foi dada por meio de Moisés. Abraão precedeu Moisés. Como filha de Abraão, a mulher estava incluída em uma aliança na qual Deus prometeu proporcionar cura a seu povo quando a origem do problema fosse espiritual. Vimos que a mulher não vivia encurvada por causa de uma condição médica, mas por causa de Satanás. Uma vez que Satanás perturbara a vida dela, seu direito contido na aliança como filha de Abraão a autorizava a ser curada espiritualmente e libertada da escravidão. Ela desfrutava um relacionamento legal que transcendia a lei mosaica.

Jesus sabia disso. Contudo, se você não conhece seu relacionamento legal, não pode exigir direitos legais. Talvez você enfrente problemas, situações, circunstâncias e confusões de longa data e esteja se perguntando por que Deus ainda não agiu em seu favor. A viúva conhecia a lei e continuou a apelar ao juiz com base nessa lei, por isso recebeu o que lhe era devido. Se um juiz injusto se submeteu à lei, mesmo não tendo respeito por ela, pense em quanto mais o Deus santo e justo dará aquilo que legalmente pertence a você como filha dele quando você lhe pedir. Deus é fiel à sua Palavra.

Exigir seus "direitos" legais não é um processo de "peça e exija" no qual Deus é obrigado a fazer o que você lhe pede. É, antes, aproveitar tudo o que Deus diz que deseja fazer por seu povo dentro dos limites de sua vontade soberana. Essa foi a fórmula que Moisés usou quando suplicou a Deus que mudasse de ideia e não julgasse os israelitas com base no que prometera fazer por seu povo (Nm 14.11-21).

Deus não se esqueceu de quem ele é nem da natureza que tem. Mas, enquanto oramos em sintonia com a Palavra dele, devemos nos lembrar disso e orar com o poder da lei da aliança.

Aquilo que a mulher do reino faz é mais que simplesmente orar. A mulher do reino sabe orar de acordo com a lei. Se você é como a viúva e não tem a quem recorrer, precisa conhecer sua posição perante Deus. Quando conhece seus "direitos", você recorre a Deus com autoridade para conseguir a atenção ou favor dele, com base em seu *status* legal concedido pelo sangue de Jesus Cristo e a nova aliança. A melhor maneira de orar é fazê-lo segundo a Palavra de Deus.

> *A mulher do reino sabe orar de acordo com a lei.*

Depois de abrir a Bíblia em trechos onde Deus diz o que fará por seus filhos, você ora: "Deus, tu não mentes e és fiel. Isto foi o que disseste, e é o que estou pedindo em nome de Jesus". Esse tipo de oração, com base na Palavra de Deus, recebe resposta. "Eu lhes digo: Ele lhes fará justiça, e *depressa*" (Lc 18.8).

Há algumas passagens na Bíblia que são verdadeiras promessas, como: "Nunca o deixarei, nunca o abandonarei" (Hb 13.5). Há também verdades gerais que não são promessas rígidas: "Quando os caminhos de um homem são agradáveis ao Senhor, ele faz que até os seus inimigos vivam em paz com ele" (Pv 16.7). Em ambos os casos, ore e peça as bênçãos de Deus de acordo com a vontade dele para você em Jesus Cristo.

Conforme registrou nas Escrituras, Deus está comprometido em primeiro lugar com sua Palavra, com sua aliança. Ele não se sujeita ao que você pensa. Não se sujeita ao que os outros pensam. Não se sujeita nem ao que você sente. Deus não se submete a seus pais, a seu cônjuge, chefe, médico, a seus amigos — ou a qualquer outra coisa. Mas ele se sujeita à Palavra. Essa é a única coisa com a qual ele se compromete inteiramente. Se você aprender a orar a ele de acordo com seus direitos descritos na aliança, verá que ele abrirá as portas que você imaginava estar fechadas, fechará as portas de seus adversários, vencerá seus inimigos, derrotará demônios e a levará depressa a seu destino. Você verá o Rei intervir em favor das mulheres que proferem orações do reino.

Crônicas de Chrystal

Eu precisava de quinhentos dólares. Depois de somar todas as minhas despesas e calcular o dinheiro que receberia, ainda precisava de quinhentos dólares.

Aos 19 anos de idade, eu era uma mãe de primeira viagem, solteira, cursando a metade do segundo ano da faculdade e tentando descobrir como conciliar numerosas contas para poder continuar os estudos. Penso que me identifico completamente com a viúva que recorreu ao juiz. Vulnerável, em perigo e apavorada. Sim, isso resume exatamente como eu me sentia.

Havia feito tudo o que podia imaginar para resolver o problema. Procurei outro emprego, cortei despesas e examinei os números mais vezes do que sou capaz de contar. Com as forças exauridas, decidi que minha única opção seria orar por um milagre.

Direitos? Eu teria algum direito? Será que a aliança de Deus se estendia a mim na situação em que me encontrava? Poderia suplicar a ele com base em sua Palavra e esperar que me respondesse? Imaginei que não faria mal tentar, de modo que decidi orar.

Abri minha Bíblia e fiz o que muitas de nós fazemos quando precisamos ouvir uma palavra séria do Senhor: abri o Livro ao acaso, esperando que a palavra de que eu necessitava estivesse naquela página.

Não tive sorte.

No entanto, continuei a ler. Li simplesmente porque queria muito ouvir uma palavra dele e estava determinada a persistir até receber aquilo de que necessitava. Por fim, li a passagem que conta a história de Davi e Golias, e senti que aquele relato serviria de base para meu pedido em oração.

Mesmo depois de ouvir a história repetidas vezes na infância, devo tê-la lido cinco vezes naquele dia. Estava procurando a mensagem na história — a mensagem de Deus para mim. Sinceramente, quanto mais eu a lia, mais confusa ficava! Qual era o meu gigante? O meu gigante seria vencido se eu permanecesse na faculdade e tivesse fé na provisão de Deus e em sua força para terminar o curso? Ou o gigante seria justamente o ato de confiar em Deus, submeter-me à mudança em minha vida, voltar para casa e começar tudo de novo?

Era alta madrugada quando me levantei da mesa da cozinha e fui dormir. Havia lido a passagem inúmeras vezes, orado inúmeras vezes, anotado os sussurros de meu coração sobre o assunto — e ainda não recebera uma resposta clara.

Exausta, saí dali de mãos vazias.

Faltavam somente quinhentos dólares. Muitos anos depois, quando me lembro daquela noite, fico estupefata, porque na época aquele déficit de quinhentos dólares me parecia grande demais. Se meu gigante fosse a decisão de continuar na faculdade, então aquela quantia em dólares era minha espada para matá-lo. E eu não possuía uma espada.

À medida que diminuía o prazo para eu tomar a decisão de voltar aos estudos ou permanecer em minha cidade, continuei a pedir a Deus os quinhentos dólares que me faltavam para vencer o gigante diante de mim. Em minha mente eu acreditava que o Deus que possui "as cabeças de gado aos milhares na colina" (Sl 50.10) poderia encontrar um meio de vender dois daqueles animais para me socorrer. Eu havia recitado várias vezes minha convicção de que "o meu Deus suprirá todas as necessidades de vocês, de acordo com as suas gloriosas riquezas em Cristo Jesus" (Fp 4.19). Portanto, assim como Gideão colocou sua porção de lã na eira, eu coloquei meus desejos diante do Senhor e aguardei uma resposta definitiva.

Ele respondeu.

No último minuto, o correio chegou com uma carta dirigida a mim e escrita por alguém que eu não conhecia. Abri a carta e um cheque de quinhentos dólares caiu de dentro dela.

Não estou brincando. É verdade. Exatamente quinhentos dólares.

E, de fato, a bênção de Deus não parou por aí. Ele continuou a me abençoar com "infinitamente mais do que tudo o que pedimos ou pensamos" (Ef. 3.20). Na verdade, aquele presente inicial em dinheiro foi o primeiro dos muitos que Deus me enviaria por meio de uma preciosa família durante o tempo em que estudei na faculdade, até me formar.

Ora, você deve estar pensando que, com uma resposta dessa, eu me tornei uma guerreira de oração experiente e verdadeira. Sinto vergonha de dizer que não foi assim. Vou ser sincera e admitir que a oração continua a ser uma das disciplinas espirituais mais difíceis para mim. Embora eu obviamente creia no poder da oração, ainda tenho a tendência de gastar muita energia tentando exercer meu poder antes de me dar conta de que posso acessar o poder de Deus por meio da oração.

O mundo em que vivemos nos incita a ser tudo, ter tudo e fazer tudo. Somos consideradas mulheres modernas que podem ser a solução e o fim de todos os problemas que enfrentamos. Somos forçadas a nos orgulhar de nosso poder, extrair o máximo de nossa mente e agir em todas as oportunidades que atravessarem nosso caminho. Somos produto da geração "faça isso sozinha", da cultura "faça e não pergunte" e da filosofia do "deixe tudo pronto". A mulher de hoje deve ser autoconfiante, autossuficiente e, em última análise, independente.

No entanto, quanto mais eu vivo, mais Deus me cutuca carinhosamente em sua direção, encorajando-me a depositar minhas preocupações a seus pés. Quanto mais eu vivo, mais oportunidades tenho de ver claramente minha necessidade da orientação e da intervenção soberana do Senhor. Quanto mais eu vivo, mais enxergo minhas fraquezas e imperfeições. Quanto mais eu vivo, mais tempo tenho para aprender que o controle não passa de uma ilusão e que Deus é a única fonte de segurança, refrigério e confiança. Quanto mais eu vivo, mais entendo que, à semelhança da viúva, Deus é tudo para mim e que a oração é uma das maneiras de demonstrar minha dependência dele.

Embora em tempos de crise a oração seja necessária, somente um relacionamento superficial com o Pai é sustentado com esse tipo de oração. Tenho usado minha cota de orações emergenciais e sido abençoada por saber que Deus responde a elas em sua soberania. Contudo, estou aprendendo, à medida que os anos passam, que é minha oração sussurrada que proporciona o mais doce retorno. Aquelas orações apresentadas ao meu Salvador da mesma forma que as compartilharia com uma amiga são feitas sem nenhum esforço e estresse, e fico especialmente encantada quando ele responde! Não há nada melhor que ver o Pai atender a um desejo de meu coração só porque ele pode e porque me ouve quando compartilho minha alma com ele.

A oração é uma conversa, uma atitude, um modo de vida. A oração tem diferentes formas — verbal ou escrita, silenciosa ou em voz alta, de joelhos ou em pé. Oração é o ato de aproveitar as oportunidades do momento para demonstrar minha confiança na capacidade que o Salvador tem para ouvir, entender e libertar. Comunicação vertical deliberada é o ato de agir certa de que o Deus em quem eu creio está presente e trabalha ativamente em minha vida. A oração permite que eu converse com meu Amigo.

Esse diálogo tem mais fluidez à medida que passo a entender meu Amigo, e eu o entendo mais quando me disponho a conhecê-lo lendo a carta que me escreveu. É nesse intercâmbio — eu conversando com ele com a boca, a mente ou o coração, e ele conversando comigo por intermédio de sua Palavra, de seu Espírito ou de sua voz suave — que sou capaz de agir com total confiança de que suas promessas se estendem verdadeiramente a mim e que posso depender dele.

A oração não se destina apenas a emergências ou a ocasiões em que necessitamos de uma solução repentina. A oração é o milagre diário no qual o Deus do universo se digna de conversar conosco. E, nesse fenômeno quase inconcebível, descobrimos que podemos nos aproximar "do trono da graça com toda a confiança, a fim de recebermos misericórdia e encontrarmos graça que nos ajude no momento de necessidade" (Hb 4.16).

Ore porque você pode orar. Ore porque você deve orar. Ore porque o Deus no qual você crê fica feliz, todos os dias, em ter uma conversa com você.

A conversa

Vida cristã sem oração é como dirigir um carro com o tanque de gasolina quase vazio. Você dirige confiando na reserva, na esperança de chegar ao destino antes que o motor do carro "engasgue" e morra. De forma semelhante, muitos de nós tentamos viver sem orar porque imaginamos que tudo dará certo... até o carro enguiçar e ficar parado na beira da estrada.

Muitos de nós tentamos viver sem orar porque imaginamos que tudo dará certo.

A realidade é que muitos de nós lutamos com a oração. Lemos a história da viúva e do juiz injusto e vemos que Cristo diz claramente que Deus ouve nossas orações e responde a elas. Mesmo assim, continuamos a desprezar essa área crucial da vida. Acho difícil conversar com alguém que não podemos ver e que não nos responde em voz audível. É difícil ter fé.

Em geral, consideramos a oração como o hino nacional cantado antes de um jogo de futebol. O hino dá início à partida, mas não tem nada a ver com o que acontece no campo. Oramos quando começamos o dia, ou oramos de vez em quando, mas a oração não tem uma função importante em nossa vida diária.

Não somos os únicos cristãos que lutam com a oração. Os discípulos de Jesus pediram que ele os ensinasse a orar porque não sabiam fazê-lo. Lançaram a mesma pergunta que nós: Sendo meros humanos, como podemos nos comunicar com o Deus invisível? De fato, por que temos de fazer isso?

Jesus respondeu às perguntas dos discípulos em Mateus 6—7. Ele ensinou como devemos orar e como não devemos orar. Devemos observar com cuidado as precauções que ele relacionou porque elas apontam fatores que prejudicam nossa vida de oração. Na verdade, Jesus nos deu a oração do Pai-nosso como modelo para uma comunicação respeitosa e eficiente com Deus.

Ore com regularidade

A primeira coisa que Jesus deseja que você saiba é que deve orar com regularidade. Espera-se que, se você for uma seguidora de Jesus Cristo — não simplesmente uma cristã, mas uma discípula —, a oração seja parte rotineira de sua vida.

A palavra *oração* é definida como uma comunicação do cristão com Deus por meio da pessoa de Cristo e assistida pela obra do Espírito Santo. No âmago da oração está a comunicação relacional com Deus. Há uma diferença entre conversa e comunicação. Quando você ora, não está falando consigo mesma, mas com um Deus santo. Ele precisa estar em sua mente, ser o foco de sua atenção e o objeto de sua comunicação.

A oração se torna possível somente por intermédio de Cristo; só temos acesso a Deus porque o sangue de Cristo abriu uma porta para nós. Jesus disse: "Eu sou o caminho, a verdade e a vida" (Jo 14.6). Ele é o ponto de acesso. Por sermos pecadores, não podemos entrar na presença do Deus santo. O acesso precisa ser proporcionado por intermédio do Filho. É por isso que oramos em nome de Jesus. A Bíblia diz, em Hebreus 10.19-22, que temos acesso pelo sangue de Cristo. Sua morte saldou a dívida das exigências do Deus santo. Hebreus 4.16 diz que podemos nos aproximar do trono da graça com toda a confiança e entrar em sua presença. Podemos caminhar em direção ao seu trono. Sem hesitar, podemos dizer: "Aqui estou, Senhor. Jesus Cristo me deu permissão para entrar".

A oração deve ser parte regular de nossa vida porque ela é fundamental para nós. Talvez você pergunte: "Por que devo orar?". Hebreus 11.6 explica desta maneira: "Sem fé é impossível agradar a Deus, pois quem dele se aproxima precisa crer que ele existe e que recompensa aqueles que o buscam". Orar é uma forma de expressar fé e, sem fé, não podemos agradar a Deus. Se você é fraca na fé, ore mesmo assim, porque invocar o nome de Deus é um ato de fé que, por sua vez, aumentará a própria fé. Recorra a Deus, mesmo que não possa vê-lo fisicamente e que ele não fale com você em voz audível. Creia que ele está presente porque a Bíblia assim promete. Isso elevará sua fé.

Ore com sinceridade

Jesus diz que, ao orarmos, devemos fazê-lo com sinceridade: "E quando vocês orarem, não sejam como os hipócritas. Eles gostam de ficar orando em pé nas sinagogas e nas esquinas, a fim de serem vistos pelos outros. Eu lhes asseguro que eles já receberam sua plena recompensa" (Mt 6.5). Isso se harmoniza com Mateus 6.1: "Tenham o cuidado de não praticar suas 'obras de justiça' diante dos outros para serem vistos por eles. Se fizerem isso, vocês não terão nenhuma recompensa do Pai celestial".

Se você ora para receber o aplauso das pessoas, não recebe o aplauso do céu. Se ora para ser ouvida pelas pessoas e não para conversar com Deus, não está se relacionando *com* Deus.

Nos versículos iniciais de Mateus 6, Jesus deixou claro que os fariseus não eram exemplos de oração; eram hipócritas. *Hipócrita* é uma palavra muito visual e significa literalmente "usar uma máscara". Os fariseus oravam da mesma forma que os atores representam seus papéis, para que os outros vissem sua "santidade".

Na época de Jesus, os judeus oravam três vezes ao dia — às 15 horas, às 18 horas e às 21 horas. Quando chegava o momento de orar, os hipócritas se dirigiam aos lugares mais movimentados da vizinhança — o mercado, a esquina de uma rua, qualquer lugar onde os outros pudessem observar sua piedade religiosa. Jesus instruiu seus seguidores a fazerem o oposto. Disse que não devemos orar como se estivéssemos em um palco, usando um belo palavreado. A eloquência na oração pode impressionar os homens, mas não exerce poder no céu.

> *A eloquência na oração pode impressionar os homens, mas não exerce poder no céu.*

Ore em secreto

A terceira precaução que Jesus apresenta quanto à oração é que devemos orar em secreto: "Mas quando você orar, vá para seu quarto, feche a porta e ore a seu Pai, que está em secreto. Então seu Pai, que vê em secreto, o recompensará" (Mt 6.6).

Sua fé verdadeira brilha quando você está sozinha. Se passa mais tempo tentando impressionar os outros do que se comunicando com Deus em suas orações particulares, é sinal de que suas prioridades espirituais estão desalinhadas.

Jesus diz que devemos orar em secreto, mas não afirma que nunca devemos orar em público. A Bíblia menciona muitas orações feitas em público. Em 1Timóteo 2.8, Paulo diz ao povo da igreja: "Orem em todo lugar, levantando mãos santas, sem ira e sem discussões". Jesus também orou em público. Ele não condenou esse tipo de prece, apenas disse que, se um homem orar em público, ele deve ter também uma vida de oração em particular. É errado apresentar uma impressão falsa na igreja, aos domingos e quartas-feiras, para fazer o povo acreditar que você está na presença de Deus quando, na verdade, você não se comunica com o Pai nem se aproxima dele durante a semana. Você é aquilo que faz em particular.

Quando recomenda que oremos em secreto, Jesus está dizendo que devemos nos desligar de qualquer coisa que possa desviar nossa atenção enquanto estamos na presença de Deus. Ele diz que devemos fechar a porta, porque nos distraímos com facilidade. Deus é espírito e não usa uma voz audível para se comunicar com seus seguidores; por isso, é muito difícil conversar com ele e ouvi-lo. Precisamos nos afastar das distrações, para que Deus possa conectar-se conosco por meio do Espírito Santo.

Você deve achar maçante ficar totalmente sozinha em uma sala, em completo silêncio — só você e Deus. Mas, assim que o Espírito Santo se conectar com você na solidão de sua presença, você entenderá o que Davi escreveu a respeito desse assunto nos Salmos: ele se deitou na cama na presença de Deus e o sentiu preencher e cercar o lugar onde se encontrava. Aqueles foram momentos poderosos a sós com o Criador.

Ore com prudência

Jesus diz ainda que devemos orar com prudência. Mateus 6.7 declara: "E quando orarem, não fiquem sempre repetindo a mesma coisa, como fazem os pagãos. Eles pensam que por muito falarem serão ouvidos". Essa precaução é persuasiva. Quando leio essas palavras, lembro-me de quando era menino. Minha mãe quase sempre me pedia que orasse antes das refeições, mas eu detestava quando ela me fazia esse pedido e tínhamos frango frito. Eu orava de olhos abertos, olhando para aquele frango perfeito que satisfaria minha fome. Colocava as mãos na beira do prato antes de terminar a oração, para poder ficar mais perto e agarrar o melhor pedaço. Eu não orava pensando em Deus; orava pensando no frango. Eu precisava concluir a oração e terminar de falar com Deus para pegar o frango. Será que não fazemos isso na maior parte do tempo? Queremos orar apressadamente para começar a comer, comparecer à reunião ou cuidar do próximo item de nossa agenda.

Queremos orar apressadamente para cuidar do próximo item de nossa agenda.

Então, como acabar com essa repetição sem sentido? Precisamos aumentar nosso conhecimento sobre o assunto (Deus) e trazer essa informação para que exerça influência em nossa vida de oração. Quanto mais conhecemos uma pessoa, mais assuntos temos para conversar com ela. Quando você aprende algo de Deus por meio da Bíblia ou na igreja, permite que isso influencie sua oração.

Ore especificamente

Por último, vamos examinar Mateus 7.7. Jesus diz: "Peçam, e lhes será dado; busquem, e encontrarão, batam, e a porta lhes será aberta". Pedir requer humildade porque significa que você deve recorrer a Deus e suplicar por algo. E Jesus prosseguiu, dizendo:

> Pois todo o que pede, recebe; o que busca, encontra; e àquele que bate, a porta será aberta. Qual de vocês, se seu filho pedir pão, lhe dará uma pedra? Ou se pedir peixe, lhe dará uma cobra? Se vocês, apesar de serem maus, sabem dar boas coisas aos seus filhos, quanto mais o Pai de vocês, que está nos céus, dará coisas boas aos que lhe pedirem!
>
> Mateus 7.8-11

O peixe e o pão, conforme Jesus mencionou nesses versículos, eram alimentos comuns dos judeus. Deus preocupa-se com o "peixe" e o "pão" de nossa vida diária, ou seja, as ocorrências comuns do dia a dia, o sentimento de nosso coração e os detalhes de nossos pensamentos. Ele não deseja apenas nos ouvir quando temos problemas gigantescos. Deseja ouvir todas as nossas preocupações e todos os nossos louvores, grandes e pequenos. Se você só se comunicar com Deus nas grandes questões da vida, fará dele um solucionador de problemas emergenciais do tipo 190, porque só se relacionará com ele de vez em quando. Mas, se você se comunicar com ele nos momentos do "peixe" e do "pão", estará seguindo a instrução de orar continuamente descrita em 1Tessalonicenses 5.17.

De fato, o versículo fala sobre alguém que pede um peixe ou um pão porque ambos eram itens importantes para as necessidades diárias. O peixe e o pão indicam coisas que devemos esperar que Deus nos proporcione. Deus se preocupa com suas necessidades. Apresente a ele seus pedidos comuns, mas confie também que ele pode fazer muito mais do que você imagina. Ele é um Deus de coisas comuns e de coisas extraordinárias.

Louve-o quando tiver alimento sobre a mesa. Louve-o quando ele abrir o mar Vermelho. Louve-o quando tiver roupa para vestir. Louve-o quando ele extrair água da pedra e trouxer maná do céu. Louve-o quando o tanque de combustível estiver cheio. Louve-o quando o médico disser que sua enfermidade tem cura. Louve-o por isso, mas louve-o também porque nada de errado aconteceu hoje. Louve-o porque ele supre suas necessidades básicas. Louve-o pelo "peixe" e pelo "pão". Louve-o pelas coisas comuns. E sabe o que mais? Ele está presente para realizar coisas extraordinárias.

A oração é um abrangente canal de comunicação com Deus. Quando você a combina com os princípios da parábola da viúva e o juiz injusto — aproximando-se de Deus com base nas Escrituras e em seus direitos legais por meio da nova aliança —, isso pode ser uma ferramenta poderosa usada para ajudá-la a viver plenamente seu destino como mulher do reino.

Parte 3

O FRUTO DA MULHER DO REINO
— POSSIBILIDADES —

9

A MULHER DO REINO E SUA VIDA PESSOAL

Quando me perguntam qual é minha citação favorita de todos os tempos, sempre repito as palavras profundas de Corrie ten Boom, autora de *The Hiding Place* [O refúgio secreto] e sobrevivente do campo de concentração da Segunda Guerra Mundial: "Não há poço tão profundo que [Deus] não possa alcançar".[1] Corrie não apenas entendeu o intenso sofrimento humano, mas também teve uma vida na qual priorizou Deus acima de tudo. Foi capaz de ter acesso à paz divina em meio a um sofrimento inimaginável.

O desgosto quase sempre faz parte do pavimento da estrada de fé e da maturidade espiritual. Nem todos os que percorrem essa estrada viajam à mesma velocidade ou chegam ao mesmo destino. Creio que a resposta esteja ligada a como cada mulher não apenas aceita a fórmula de Deus, mas também coopera com ela para produzir frutos, mesmo em tempos de sofrimento. A fórmula de Deus encontra-se em João 15 e inclui poda, permanência e, finalmente, frutificação.

A frutificação

Jesus e os discípulos se sentaram em uma sala no cenáculo, em Betânia, para fazer a última refeição juntos antes da crucificação.

A caminho da cidade, eles passaram pelo vale do Cedrom. Cedrom era uma terra da fantasia dos cultivadores de uvas, com videiras férteis florescendo por todos os lados.

Talvez, ao observar as uvas saborosas que cresciam naquelas videiras exuberantes, Jesus tenha pensado em usar essa imagem retórica para um de seus ensinamentos mais tocantes. Em João 15.1-11, ele diz aos discípulos:

> Eu sou a videira verdadeira, e meu Pai é o agricultor. Todo ramo que, estando em mim, não dá fruto, ele corta; e todo que dá fruto ele poda, para que dê mais fruto ainda. Vocês já estão limpos, pela palavra que lhes tenho falado. Permaneçam em mim, e eu permanecerei em vocês. Nenhum ramo pode dar fruto por si mesmo, se não permanecer na videira. Vocês também não podem dar fruto, se não permanecerem em mim.
>
> Eu sou a videira; vocês são os ramos. Se alguém permanecer em mim e eu nele, esse dará muito fruto; pois sem mim, vocês não podem fazer coisa alguma. Se alguém não permanecer em mim, será como o ramo que é jogado fora e seca. Tais ramos são apanhados, lançados ao fogo e queimados. Se vocês permanecerem em mim, e as minhas palavras permanecerem em vocês, pedirão o que quiserem, e lhes será concedido. Meu Pai é glorificado pelo fato de vocês darem muito fruto; e assim serão meus discípulos.
>
> Como o Pai me amou, assim eu os amei; permaneçam no meu amor. Se vocês obedecerem aos meus mandamentos, permanecerão no meu amor, assim como tenho obedecido aos mandamentos de meu Pai e em amor permaneço. Tenho lhes dito estas palavras para que a minha alegria esteja em vocês e a alegria de vocês seja completa.

Uma vez que os discípulos eram judeus, ao ouvir isso eles provavelmente se lembraram de Salmos 80.8, em que Israel é comparado a uma videira que Deus transplantou do Egito à terra prometida. Havia um único problema para transferir aquela videira de lugar: ela produzia fruto azedo. Em vez de crescer como Deus planejava, os judeus se deixaram levar por sua própria justiça. Então veio Jesus. "Amigos", ele disse, "eu sou a videira verdadeira. Vocês pensam que já viram videiras, mas não viram nada semelhante a mim. E há meu Pai; ele é o agricultor. Ele toma conta da videira". Nessa videira, somos apresentados à vinha e ao agricultor. No versículo 2, Jesus volta a atenção para os ramos da videira. É nessa parte que você entra.

Antes, porém, de analisar o significado de ser um ramo, vamos prestar um pouco de atenção ao que Jesus quis dizer quando se referiu a "todo ramo [...] em mim". Para ilustrar meu argumento, preciso apenas me referir à instituição do casamento. Quando você se casa, entra em uma relação orgânica; você e seu marido se tornam uma só carne. Mas, conforme muitos de nós sabemos, o fato de você ter dito "sim" não resulta automaticamente em uma relação íntima e recompensadora. Não há faíscas de amor cintilando por toda a casa só porque você tem uma aliança de ouro no dedo. É totalmente possível (e muito comum) ser casado e ser infeliz.

O objetivo do casamento é, portanto, muito mais que unir duas pessoas. O casamento é uma união feita por meio de uma aliança destinada a fortalecer a capacidade de cada parceiro de levar adiante o plano de Deus em sua vida. Quando falou sobre ser um ramo nele, Jesus estava se referindo às pessoas que permanecem em uma união intencional com ele, concentradas no mesmo propósito de glorificar a Deus e o seu reino.

> *O objetivo do casamento é muito mais que unir duas pessoas.*

A poda

Passar da fase de não produzir nenhum fruto para produzir algum fruto é um passo importante. Ainda assim, é apenas o começo. Tão logo você começa a meditar no caráter de Cristo, que passou a residir dentro de você quando foi salva, Deus age de forma mais intensa. Começa a podar seus galhos na esperança de produzir mais frutos. Poda, em nosso caso, significa cortar e eliminar as distrações indesejadas que tendem a roubar dos ramos os nutrientes que eles recebem da videira.

No linguajar dos cultivadores de uvas, essas distrações chamam-se "brotos sugadores", pequenos galhos que se desenvolvem entre a videira e o ramo. Quando crescem, começam a fazer exatamente o que seu nome sugere: sugam a seiva que flui da videira para o ramo. Em pouco tempo, o ramo fica mal nutrido e morre, porque o broto sugador consumiu a seiva que se destinava ao ramo. É por isso que os cultivadores de uvas podam os brotos sugadores tão logo os descobrem. Quanto mais depressa forem eliminados, menos danos infligirão à videira.

Todas as mulheres do reino precisam lidar com brotos sugadores de um tipo ou de outro. Algumas de vocês têm amigas que se encaixam nessa descrição. Embora no início você tente influenciá-las, elas acabam exercendo mais influência sobre você. Em vez de aproximá-la de Deus, elas a afastam de Deus, roubando-lhe o nutriente revigorante que resulta de uma comunhão íntima com o Pai. Aparelhos como televisão, *tablets* e *smartphones* podem ser transformados em brotos sugadores, se você permitir que roubem o tempo e a atenção que deveria dedicar a Deus.

Quando permitimos que nossas prioridades se tornem desordenadas, podemos contar com alguém para fazer algumas podas. Deus não fica parado sem fazer nada quando vê algo sugando a vida de um ramo frutífero. Um dos aspectos interessantes das distrações é que elas podem ser positivas em si. As distrações nem sempre são coisas negativas que extraem de nós o que é bom. Por vezes, elas nos afastam de uma situação para outra melhor. A história bíblica de Marta e Maria ressalta claramente esse ponto.

Enquanto viajava de uma cidade a outra proclamando as boas-novas, Jesus entrou no vilarejo onde moravam Marta e Maria. Embora Jesus estivesse com seus discípulos — e todos sabem que, se você convidar treze pregadores para ir à sua casa, isso significa ter de preparar uma grande refeição —, Marta assumiu para si a tarefa de recebê-lo com sua comitiva para um jantar.

No entanto, no meio dos preparativos para aquela enorme refeição, ocorreu um problema entre as duas irmãs. Aparentemente, Maria começara a ajudar na cozinha, mas decidiu permanecer aos pés de Jesus, encantada com o que ele estava dizendo. Sabemos que aquilo ocorreu com base no que Marta disse a Jesus: "Senhor, não te importas que minha irmã tenha me deixado sozinha com o serviço? Dize-lhe que me ajude!" (Lc 10.40).

A resposta de Jesus a Marta nos oferece uma das revelações mais significativas de nosso relacionamento com Deus. Ele disse: "Marta! Marta! Você está preocupada e inquieta com muitas coisas; todavia apenas uma é necessária. Maria escolheu a boa parte, e esta não lhe será tirada" (v. 41-42).

Naquela declaração, Jesus afirmou que Maria fizera a melhor escolha. O que distraiu Marta não era negativo. Na verdade, eram coisas positivas que ela estava fazendo *para* Jesus. No entanto, justamente as coisas que Marta estava fazendo *para* Jesus desviaram sua atenção *de* Jesus.

Marta não desobedeceu a Deus ao preparar a refeição, mas se envolveu de tal forma com ela que não aproveitou o tempo para estar com Cristo.

Justamente as coisas que Marta estava fazendo para Jesus desviaram sua atenção de Jesus.

A verdade é que o preparo da refeição foi mais importante para Marta que o desejo de estar com seu Salvador.

Quando as mulheres recorrem a mim em busca de aconselhamento em razão de problemas na vida, nem sempre o motivo é um pecado em franco progresso. Ou porque sejam pessoas perversas. Na maioria das vezes, os problemas se desenvolveram por causa da profusão de coisas boas que elas tentam realizar ao mesmo tempo, e isso desorganiza suas prioridades.

Outra dificuldade que costuma surgir é comparável ao que aconteceu com Marta. É fácil culpar Deus quando a situação se torna caótica, mesmo que esse caos seja resultado direto de muitas atividades e prioridades desorganizadas. Marta disse: "Senhor, não te importas...?". No fundo, Marta estava acusando Deus de não se preocupar com seu trabalho árduo na cozinha. É importante não culpar Deus quando suas distrações se acumulam e criam problemas. A dificuldade de Marta não era o Senhor. Aliás, a dificuldade de Marta não era nem sequer Maria.

O problema de Marta era Marta.

Se eu fosse capaz de parafrasear a resposta de Jesus, diria mais ou menos isto: "Mude o cardápio, Marta. Se o preparo de um banquete for afastá-la de mim, faça apenas uma carne cozida". A vida atarefada de Marta não apenas a afastou de Jesus, mas também interrompeu sua convivência íntima com a irmã, Maria. Quem sabe quantas outras coisas ou relacionamentos foram afastados de Marta em razão de suas preocupações?

Em sua realidade como mulher do reino, é importante notar que, no meio das coisas boas da vida, não se deve perder as coisas importantes. Mostre-me sua agenda e eu lhe mostrarei suas prioridades. O modo como você programa seu tempo, e também seus recursos, revela o que é verdadeiramente importante.

Se você não está cultivando seu relacionamento com o Salvador, não é por falta de tempo. É porque não prioriza o relacionamento. Se houver algo que seja importante em sua vida, você encontrará tempo para realizá-lo.

Quando nossa vida se embaraça nas coisas que nos afastam de Deus, ele costuma usar essa oportunidade ou situação para nos podar. Quero ressaltar um ponto que provavelmente você já deve ter notado. A poda machuca. Não há como contornar o fato de que, quando Deus começa a aparar algumas coisas em sua vida, o processo é muito desconfortável. Quanto mais brotos houver para ser podados, mais doloroso será o processo. Deus é sensível à sua dor? Claro. Mas ele equilibra o desconforto temporário com o benefício de longo prazo.

Lembro-me de uma visita ao médico quando meu filho Anthony era pequeno. Anthony contraíra um vírus e precisava tomar uma injeção para ser curado. O médico entrou na sala empunhando uma seringa cuja agulha, na perspectiva de meu filho, era maior que uma caneta.

— Vire de costas e curve o corpo — o médico instruiu.

Anthony olhou para mim com ar petrificado e deplorável e disse:

— Papai, não deixe que ele faça isto. Ele vai me machucar! Papaaaai!

Naquele momento, tive de me lembrar do benefício de longo prazo que contrabalançava o medo e a dor que Anthony sentiria no curto prazo. Apesar do que minhas emoções diziam, para ser um bom pai eu precisava encorajar Anthony enquanto o médico lhe aplicava a injeção. Tive de ajudar a segurar meu filho enquanto o medicamento era injetado. Suportar o processo de poda é muito semelhante a enfrentar uma agulha de injeção. E a vida está repleta de agulhas.

Temos duas opções diante de nós. Podemos sair correndo do consultório a fim de evitar as agulhas ou podemos correr em direção ao nosso Papai celestial. Veja bem, nosso Pai pode nos manter no consultório, mas só o faz porque sabe que precisamos da agulha.

Mulheres solteiras

A história de Marta e Maria é uma excelente introdução para um aspecto importante do fato de ser mulher do reino, aspecto esse que atualmente se aplica a um grande número de mulheres. Estou falando sobre ser uma mulher do reino solteira. Na passagem sobre Marta e Maria, não há nada que nos leve a acreditar que fossem casadas. Usualmente, na cultura bíblica, a mulher era apresentada mediante uma referência à sua posição na família — *a esposa de* ou *a mãe de*.

No entanto, no caso daquelas duas mulheres, nunca vimos o nome delas ligado a um marido ou filhos, o que torna a atitude de Maria de sentar-se aos pés de Jesus mais relevante do que imaginamos. Se Maria tivesse necessidade de cuidar da família e dos filhos, não teria se dado ao luxo de passar tanto tempo na presença de Cristo sem ser interrompida. Ser mulher do reino solteira implica benefícios em termos espirituais. Até Paulo notou isso quando falou das solteiras (vamos analisar suas palavras daqui a pouco).

Em geral, a igreja dá mais ênfase ao casamento, e é assim que deve ser. O casamento é uma instituição divina criada por Deus para levar a efeito sua ordem soberana na terra. Por isso, muitos programas da igreja e até estudos bíblicos são destinados a pessoas casadas. Não creio, porém, que seja dada a ênfase necessária ao valor e ao significado de ser solteira.

Ser solteira e cristã é um chamado único e sublime. A Bíblia não deixa o assunto de lado, e, neste capítulo sobre a mulher do reino e sua família, quero garantir que isso não será desconsiderado. Ao longo dos anos, tenho encontrado muitas solteiras que se encaixam em uma destas duas categorias: ou estão frustradas por ter esperado aquilo que, segundo elas, era seu verdadeiro propósito — o casamento — ou mergulharam cedo demais em maus relacionamentos e estão insatisfeitas com o que têm.

Ser solteira e cristã é um chamado único e sublime.

Paulo, no entanto, encoraja as pessoas solteiras a entender que podem, e devem, sentir-se satisfeitas e realizadas em seu propósito mais elevado. Paulo foi sincero: "Mas, se vier a casar-se, não comete pecado; e, se uma virgem se casar, também não comete pecado. Mas aqueles que se casarem enfrentarão muitas dificuldades na vida, e eu gostaria de poupá-los disso" (1Co 7.28). No fundo, nessa passagem, o apóstolo equiparou "dificuldades" com casamento. E ele prossegue explicando.

Gostaria de vê-los livres de preocupações. O homem que não é casado preocupa-se com as coisas do Senhor, em como agradar ao Senhor. Mas o homem casado preocupa-se com as coisas deste mundo, em como agradar sua mulher, e está dividido. Tanto a mulher não casada como a virgem preocupam-se com as coisas do Senhor, para serem santas no corpo e no espírito. Mas a casada preocupa-se com as coisas deste mundo, em como agradar seu marido. Estou dizendo isso para o próprio bem de vocês; não para lhes impor restrições, mas para que vocês possam viver de maneira correta, em plena consagração ao Senhor.

1Coríntios 7.32-35

Um dos pontos levantados por Paulo é que, no casamento, ficamos atrelados às expectativas e às necessidades da outra pessoa. Não podemos simplesmente ir aonde queremos, como fazíamos quando éramos solteiros. Tudo o que fazemos precisa passar pelo crivo de como isso pode interferir no atendimento às necessidades de nossa família. Paulo ressaltou a liberdade da vida de solteiro. Essa é uma área, creio eu, que muitos solteiros deixam de aproveitar ou de desfrutar ao máximo por desejarem estar casados. Se você é solteira, é livre.

Paulo quer que você saiba que, como solteira, tem a oportunidade única de ampliar ao máximo a ideia do céu na terra. Quando permite que o céu ordene suas ações e pensamentos como solteira, você passa a ser uma das mulheres do reino mais produtivas e importantes à disposição de Deus.

No momento em que se distrai com a ideia de que ser solteira não é uma condição gratificante — passando a desejar um companheiro e a correr atrás dele em vez de aguardar o plano de Deus para sua vida (se inclui ou não um companheiro) —, você permite que sua condição de solteira interfira no propósito divino. De fato, permite que sua condição de solteira interfira no reino de Deus e em seu próprio bem-estar, porque escolheu passar o tempo pensando em casamento, sentindo-se frustrada ou tentando criar uma forma de se unir a alguém. Deus deseja que você fique satisfeita na situação em que se encontra como solteira. Você tem a oportunidade que as mulheres casadas não têm: ampliar ao máximo seus dons, habilidades, tempo, tesouros e talentos para a glória de Deus. E mais: também tem mais tempo para sentar-se aos pés de Jesus, como Maria fez, e desenvolver um relacionamento íntimo com o Salvador.

Quando Deus criou Adão, este não tinha esposa, mas tinha um propósito. Estava tão ocupado com o propósito que Deus lhe dera que nem sequer notou que vivia sozinho e precisava de uma auxiliadora. A Bíblia diz que foi Deus quem notou isso. Deus criou Eva e apresentou-a a Adão. Adão não estava à procura de Eva.

Sob a nova aliança, não havia macho nem fêmea na equação do reino de Deus que visa promover sua glória na terra. Como solteira, você tem um propósito, e Deus a equipou com o poder de viver seu chamado nessa condição. Deus lhe dará uma companhia — como fez com Adão — se for da vontade dele. Você não precisa sair à procura de um companheiro. O que você pode fazer a fim de viver satisfeita como solteira é concentrar-se em seu propósito como filha de Deus, filha de seu reino. E nunca se esqueça de seu valor, nem aceite nada menor que ele.

Certo dia, um homem resolveu fazer compras em uma loja de antiguidades cuja proprietária pusera uma linda mesa à venda. O preço da mesa era seiscentos dólares, mas o homem imaginou que poderia pechinchar e ofereceu quatrocentos dólares. Eles começaram a conversar a respeito da mesa, e a mulher lhe informou que não aceitaria menos que o preço predefinido. Diante da insistência do homem em pechinchar, a proprietária começou a falar de todas as qualidades únicas daquela mesa em particular.

A conversa continuou por algum tempo. O homem perguntou, então, se ela aceitaria quinhentos dólares. Ela respondeu: "Não. Depois de conversarmos tanto a respeito desta mesa, lembrei-me de seu real valor. Agora, senhor, o preço é mil dólares".

Mulher do reino solteira, você tem muito mais valor do que é capaz de imaginar. É filha do Rei; tem um chamado único e uma posição única para viver consagrada ao Senhor como uma de suas principais agentes, a fim de promover o reino dele na terra. Trata-se de um chamado sublime, e Deus a capacitará a viver de acordo com esse chamado. Nunca esqueça seu valor. Nunca aceite ser menos do que verdadeiramente é.

> *Mulher do reino solteira, você tem muito mais valor do que é capaz de imaginar.*

Permanência

Alguns anos atrás, quando preguei pela primeira vez uma mensagem sobre "permanência" à minha congregação em Dallas, queria ilustrar como é importante permanecer em Cristo, conforme lemos em João 15. Por isso, no sábado de manhã, apanhei um ramo da árvore em frente à minha casa e deixei-o na varanda. Pouco antes de sair para a igreja no domingo de manhã, apanhei um ramo da mesma árvore e levei os dois comigo ao púlpito. Enquanto eu os segurava para mostrá-los à congregação, a diferença ficou clara. As folhas do ramo colhido no domingo de manhã ainda estavam frescas e verdes, ao passo que as folhas do ramo colhido no sábado já estavam secas e com as bordas amarronzadas.

É o que acontece quando um ramo deixa de "permanecer" ou "habitar" na árvore. Sua fonte de vida é cortada. Sem estar ligado à fonte de seiva no tronco da árvore (ou videira), ele começa a morrer — embora demore algumas horas para isso tornar-se aparente.

Jesus disse que o segredo para ser um discípulo frutífero e produtivo está em permanecer nele, da mesma forma que o ramo "permanece" na videira. Se permanecermos nele, a seiva do Espírito Santo continuará a fluir através de nós, e seu caráter fará brotar flores em nossos ramos, que produzirão fruto exuberante.

O problema com a maioria de nós é que não somos bons na arte de permanecer. Enganamos a nós mesmos pensando que podemos sobreviver fora da videira. Mas não podemos. Fora da videira, em pouco tempo nossas folhas começarão a murchar, secar e adquirir tonalidade amarronzada, sem a possibilidade de produzir nenhum fruto.

Um estudo informal intitulado "The Obstacles to Growth Survey" [Investigação dos obstáculos do crescimento] relatou que os cristãos estão atarefados demais para permanecer em Cristo. O estudo colheu informações de cerca de vinte mil cristãos em quase 140 países. Mais de quatro em cada dez cristãos no mundo dizem que "quase sempre" ou "sempre" correm de uma tarefa para outra. Seis em cada dez dizem que é "quase sempre" ou "sempre" verdadeiro que uma vida atribulada os impede de aprofundar-se na caminhada com Deus.[2] Aqui, o problema principal está em priorizar o tempo para poder permanecer em Cristo. Permanecer não significa simplesmente aparecer ou desaparecer. Permanecer pode ser definido como "passar tempo" ou "frequentar". Implica uma conexão contínua e progressiva enquanto se está na presença de outra pessoa.

Tenha em mente que a permanência traz benefícios: "Se vocês permanecerem em mim, e as minhas palavras permanecerem em vocês, pedirão o que quiserem, e lhes será concedido" (Jo 15.7). Esse versículo é citado frequentemente por alguns pregadores inescrupulosos e falsos que são vistos tarde da noite na televisão. Basta você solicitar uma toalhinha de oração ou um frasco de água do rio Jordão e pronto! Suas orações (por mais egoístas e ilusórias que sejam) serão respondidas. Mas esses homens fazem vista grossa ao segredo dessa passagem. Ela não diz que devemos simplesmente pedir. Diz que devemos permanecer, e depois pedir: "Se vocês permanecerem em mim, e as minhas palavras permanecerem em vocês...". O mundo está repleto de pessoas que pedem, mas não permanecem.

Salmos 37.4 diz: "Deleite-se no SENHOR, e ele *atenderá os desejos do seu coração*". Você entende a estrutura desse versículo? Ele tem a mesma construção de se/então que acabamos de analisar. *Se* você se deleitar nele, *então* ele satisfará o desejo de seu coração. *Se* permanecer nele, *então* peça o que quiser. Quando nos deleitamos no Senhor, os objetivos dele passam a ser os nossos

Quando nos deleitamos no Senhor, os objetivos dele passam a ser os nossos objetivos.

objetivos. As prioridades dele superam as nossas. Tomamos decisões de acordo com o plano dele. Os desejos dele passam a ser os nossos desejos.

A mulher do reino que se deleita no Senhor pode muito bem desejar uma casa, um carro ou outro bem. Mas ela ora assim: "Senhor, concede-me esta casa, este carro (ou outra coisa) para que se torne seu. Atende a este meu pedido para que eu possa edificar teu reino". É como se Deus estivesse dizendo: "Se você deseja minhas bênçãos para poder edificar um reino seu, não espere muita coisa. Estou apenas interessado em responder às orações das mulheres que desejam sinceramente produzir frutos para mim".

Produzir frutos

"Meu Pai é glorificado pelo fato de vocês darem muito fruto; e assim serão meus discípulos" (Jo 15. 8). Como ocorre com qualquer outro aspecto de sua vida, você precisa produzir frutos para glorificar a Deus. Quanto mais frutos produzir, melhor refletirá a glória divina e menos lotará sua agenda com prioridades sem importância.

Muitos observatórios do mundo ainda usam gigantescos telescópios refletores. Eles operam com base em um princípio simples: um imenso espelho em curva recebe a luz de estrelas indistintas e distantes e a reflete de volta, com foco nítido, em uma pequena lente ocular. O poder refletor do espelho capacita os astrônomos a observar as maravilhas do espaço. Seu fruto como mulher do reino faz você refletir mais a glória de Deus e a capacita a concentrar-se melhor em sua luz neste mundo escuro e necessitado.

Vimos como é importante permanecer em Cristo como o caminho para produzir frutos, mas como fazer isso? A resposta está em João 15.9-10: "Como o Pai me amou, assim eu os amei; permaneçam no meu amor. Se vocês obedecerem aos meus mandamentos, permanecerão no meu amor".

Permanecer, ou habitar, é uma questão de amor, e não de dever. O amor bíblico é uma ação, e não uma emoção. Você permanece no amor de Deus quando obedece aos seus mandamentos. Sem obediência, não há permanência. Sem permanência, não há fruto. Se lhe falta obediência, é melhor parar de orar. Se não está obedecendo, é melhor tirar os joelhos do chão, descruzar as mãos, abrir os olhos e dar um passeio. Faça o que quiser, mas não precisa orar. Jesus disse que só aqueles que permanecem nele podem esperar receber o que pediram. Mas, se estiver conectada vitalmente a Jesus Cristo e comprometida a obedecer-lhe, apesar de suas próprias falhas e imperfeições, não hesite em contar a ele o que se passa em seu coração. Ele tem enorme prazer em conceder o que você lhe pede.

Talvez você diga: "Tudo bem, Tony, estou permanecendo. Assumi o compromisso de ser obediente. E, quando me desvio do caminho, confesso meu pecado, me arrependo e volto a permanecer nele. Faz três anos que estou pedindo uma coisa e nada aconteceu. O que devo fazer entre o instante em que comecei a permanecer e o momento em que as respostas chegarão?".

Tenho uma boa notícia para você. Se está permanecendo, Deus lhe dá algo para fazer a espera valer a pena: alegria. "Tenho lhes dito estas palavras para que a minha alegria esteja em vocês e a alegria de vocês seja completa" (Jo 15.11). Não se confunda: alegria é diferente de felicidade. Felicidade é uma sensação agradável e borbulhante que toma conta de nós quando as coisas vão bem. A alegria verdadeira não tem nada a ver com isso. Alegria é uma questão de estado de espírito, sem levar em consideração como as coisas estão indo. Na verdade, a alegria em si é chamada de fruto do Espírito. Alegria tem a ver com a capacidade interna, concedida por Deus, de lutar e vencer. Pode produzir paz em meio ao pânico e calma em meio à tempestade.

Na véspera de sua crucificação, Jesus orou no jardim pedindo que Deus afastasse dele aquele cálice. Afinal, não havia nenhuma felicidade associada à morte na cruz. Jesus estava disposto a sofrer; não estava ansioso por isso. Muitos de nós fazemos orações semelhantes. Seu "cálice" particular pode ser um marido briguento, um empregado insuportável, um útero estéril, uma conta vazia no banco ou um problema crônico de saúde. Da mesma forma que não afastou o cálice de Jesus, Deus não afasta muitas de nossas dificuldades. Então, como lutar e vencer? Da mesma forma que Jesus fez: "pela alegria que lhe fora proposta, [ele] suportou a cruz" (Hb 12.2). Jesus decidiu deixar de olhar para o sofrimento e enxergar o propósito. A agonia e a vergonha tinham uma razão de ser.

Se você estiver totalmente comprometida com essa verdade, terá discernimento para ver além das circunstâncias e vislumbrar a obra de Deus em andamento. Quanto mais você continuar a buscar alegria em suas circunstâncias, mais esperança terá de experimentar alguns momentos fugazes de felicidade. Alguns casamentos, por exemplo, não são felizes. Mas *podem* ser alegres. Nem todo emprego é o ideal, mas pode ser alegre. Nem todo filho crescido mostra coração grato, mas a experiência de criá-lo pode ser alegre — desde que você continue a permanecer e a obedecer.

> *Nem todo filho crescido mostra coração grato, mas a experiência de criá-lo pode ser alegre.*

Quero lhe dar outro exemplo. É desalentador levar um filho doente ao médico. A criança não está se sentindo bem; foi isso o que motivou a consulta ao médico. Se você também estiver doente, a experiência será duplamente estressante à medida que seu filho chora e se debate na cadeira ao seu lado, prevendo o que o médico poderá fazer. É por isso que fiquei satisfeito ao saber que nosso pediatra instalou uma brinquedoteca com blocos de construção, quebra-cabeças, livros coloridos, giz de cera e carrinhos — muitas atividades que podem manter meus filhos interessados e ocupados até a hora da consulta.

Amiga, sei que você está cansada de esperar. Está esperando que o Senhor intervenha e abra um caminho em seu deserto pessoal de longa data. Contudo, o médico ainda não chamou seu nome. Mas Deus providenciou uma sala chamada "alegria", onde você poderá passar o tempo aguardando com um sorriso no rosto.

Frutos do reino

Deus leva o assunto a sério quando os ramos de sua videira param de produzir frutos. Ele levanta os ramos que caíram no chão, nutre-os e ergue-os da terra. Mas isso não é suficiente: ele poda os ramos para que produzam mais frutos. Ainda assim, ele não fica satisfeito. Deseja que o ramo produza abundantemente.

Crônicas de Chrystal

Quero ser uma mulher do reino porque desejo o melhor possível para mim — aquilo que Deus tinha em mente quando me criou. O problema é que a estrada para receber o melhor possível nem sempre é cercada de rosas. Há momentos de sofrimento e muitos outros momentos de poda. Claro que, com o passar do tempo e com a experiência de vida, sou capaz de ver a bênção das dificuldades e provações. Posso ver a mulher que fui e perceber a transição para a mulher em que estou me tornando. E estou aprendendo a amar tudo isto: o passado, o presente e a jornada.

Enquanto escrevo este livro com meu pai, minha família vem atravessando alguns meses difíceis, que resultaram em momentos complicados para mim. Meu marido, Jessie, esteve hospitalizado três vezes no decorrer de três meses. Em todas as vezes, houve a ansiedade que acompanha toda emergência única e inesperada. Em todas as vezes, houve a tensão de cuidar de meus filhos e dirigir a casa enquanto fazia o percurso de ida e volta ao hospital. Em todas as vezes, houve o estresse de pensar no problema financeiro que se acumulava. Em todas as vezes, a viagem ao pronto-socorro me colocou frente a frente com a escolha de confiar em Deus e descansar em seu amor por mim e por minha família, apesar das circunstâncias.

A última ida ao hospital ocorreu em um fim de semana no qual nossa igreja ofereceria uma programação para mulheres — um evento cuja direção estava sob minha responsabilidade. Voltei para casa exausta e pronta para me deitar depois de uma reunião na igreja sexta-feira à noite, véspera do evento, e descobri que meu marido não estava bem, pelo que eu precisava ir ao hospital. Passamos a noite no pronto-socorro. Procurei as mulheres que me ajudavam na igreja e que estavam aptas a assumir meu lugar e lhes disse que poderiam ligar para meu celular se tivessem alguma dúvida. E foi o que aconteceu. Às 6 horas, depois de eu ter passado toda a noite em claro, meu celular começou a tocar. O sábado foi bem longo. Longo porque tivemos de esperar muito tempo pelos exames, pelos médicos e pelos remédios. Longo porque eu era responsável pelo evento das mulheres em minha igreja. Longo porque as cadeiras do hospital não eram confortáveis. E eu ainda fui escalada para dirigir o louvor e a adoração no domingo seguinte. Mas, antes que você pense que sou santa ou exageradamente santa, quero lhe dizer o que eu estava pensando: "Deus, isso tudo é uma brincadeira comigo?".

Àquela altura, Jessie estava se sentindo tão mal que tive de abandonar as responsabilidades do ministério para ficar no hospital com ele. Deixei bem claro que ele era minha prioridade e que era importante que eu o acompanhasse para ter certeza de que seria bem cuidado e receberia a informação do médico em primeira mão. Meu marido me disse que queria que eu cantasse no domingo de manhã. Corri até nossa casa no sábado à tarde para aprontar as coisas e preparar-me para passar mais um dia no hospital. A título de precaução, peguei as roupas para usar na manhã de domingo.

Avancemos a cena para o domingo. Logo cedo o médico disse que não haveria nada importante no tratamento de Jessie até a tarde. Jessie implorou que eu fosse à igreja.

Minha família da igreja me viu no domingo de manhã, mas nem sequer imaginou que eu me vesti no banheiro do hospital, deixei meu marido cochilando no leito e peguei o caminho da igreja. Cantei nos dois cultos. Orei nos dois cultos. Chorei nos dois cultos. Depois, entrei no carro e voltei ao hospital.

Aquele fim de semana — aquele período todo — não foi a vida que imaginei quando andei sobre o tapete vermelho e me preparei para o melhor ou para o pior. Mas quantas de nós já experimentamos a realidade de uma vida livre de dor e preocupação, uma realidade tão sonhada na adolescência ou quando éramos mais novas?

Nós crescemos e a vida acontece.

E não podemos controlar o que acontece conosco. Embora nós, as mulheres, tenhamos a tendência de pensar que a vida sobe e desce de acordo com as escolhas que fazemos, se vivermos tempo suficiente, entenderemos que temos mais controle sobre nossas reações ao que a vida nos apresenta do que sobre a criação das situações que a vida põe em nosso caminho. Chuck Swindoll explica desta maneira:

Nós crescemos e a vida acontece. E não podemos controlar o que acontece conosco.

> Quanto mais eu vivo, mais entendo o impacto da atitude na vida. Atitude, para mim, é mais importante que fatos. É mais importante que o passado, que a educação, que o dinheiro, que as circunstâncias, que os fracassos, que os sucessos, que o que as outras pessoas pensam, dizem

ou fazem. É mais importante que a aparência, os dons e os talentos. Constrói ou destrói uma empresa [...] uma igreja [...] um lar. O mais extraordinário é que todo dia temos uma escolha a fazer, independentemente da atitude que adotaremos para aquele dia. Não podemos mudar o passado, [...] não podemos mudar o fato de que as pessoas agem de determinada maneira. Não podemos mudar o inevitável. A única coisa que podemos fazer é tocar a única corda que temos, e essa corda é nossa atitude. Estou convencido de que a vida é 10% do que acontece comigo e 90% da forma como reajo. E o mesmo se aplica a você [...] somos responsáveis por nossas atitudes.[3]

Não gosto de sofrimento, e não gosto de ser podada, mas, pelo fato de querer o melhor de Deus para mim, aceito as demandas do crescimento. Embora não seja perfeita, tento diariamente ter uma boa atitude em relação a esses agentes de mudança.

Se você já se sentou ao lado do leito de uma pessoa querida no hospital, sabe que há uma espera agonizante pela chegada do médico que trará alguma notícia sobre o prognóstico e o tratamento. Se você já cuidou de um enfermo, sabe que, apesar de não poder controlar muitas coisas, há alguns detalhes pequenos que podem ajudar a pessoa amada a atravessar o dia. Se já recebeu um diagnóstico para sua saúde ou para a saúde de alguém a quem estima, conhece o palpitar profundo de um coração decepcionado que bate com toda a força, cheio de indagações diante do desconhecido.

Veja, porém, o que aprendi. A espera do diagnóstico médico desenvolve a paciência. Levar um pouco de água gelada ou ajeitar o travesseiro para alguém é uma demonstração de bondade. Encontrar calma em meio a um oceano de perguntas é sinal de paz. Isso é fruto do Espírito, isso é uma vida submetida a Cristo.

Poda. Dor. Busca apaixonada por Deus. Três processos que levam à produção de frutos na vida da mulher do reino.

Não se engane. Não sou uma supermulher. Sou apenas uma mulher que segue tocando a vida, aprendendo a descansar, a permanecer nos braços do Pai e confiar nele em cada passo que dou — um passo por vez. Ao fazer isso, sinto alegria.

Uma amiga minha muito querida ouviu com atenção quando lhe contei sobre a situação de minha família e, especificamente, a saúde de meu marido. Depois que eu abri o coração a ela, revelando o que ocorria e também minhas preocupações, sua resposta me pegou desprevenida.

— Ah, Chrystal, Deus está lhe dando um poderoso testemunho!
— O quê? — perguntei.
— Bem, querida, lamento muito por você estar atravessando estes tempos difíceis, mas estou muito feliz ao pensar na pessoa que você será se permitir que Deus lhe mostre como usar essas lições da vida para a glória dele. Deus está ocupado neste momento, escrevendo sua história.

Minha irmã, Deus também está escrevendo sua história. Não sei o que ele está permitindo que lhe aconteça, mas sei que ele tem um propósito e um plano para cada coisa que ocorre em sua vida. E sei que, mesmo nos capítulos mais sombrios, você poderá encontrar alegria.

10

A MULHER DO REINO E SUA VIDA FAMILIAR

Enquanto participavam de um seminário sobre a comunicação no casamento, Tom e sua mulher, Grace, ouviram o instrutor dizer: "É muito importante que o marido e a esposa conheçam as coisas que são importantes para cada um deles".

O instrutor dirigiu-se a Tom:

— Você é capaz de descrever a flor favorita de sua mulher?

Tom inclinou o corpo, tocou o braço da esposa carinhosamente e sussurrou:

— É a que fica bem em vasos, não é?

Embora seja costume dizer que os casamentos são feitos no céu, esquecemos que alguns são cheios de trovões e relâmpagos. Esta frase é atribuída a Sócrates: "Meu conselho é que você se case. Se encontrar um bom cônjuge, será feliz; se não encontrar, você se tornará um filósofo".

O casamento e a família são frequentemente considerados sublimes, mas muitas pessoas passam a entender que, não raro, ele pode ser transformado em uma provação quando as duas partes não vivem de acordo com os princípios de Deus. As estatísticas em geral dizem que, nos Estados Unidos, a porcentagem de casamentos que terminam em divórcio gira em torno de 50%.

E grande parte dos outros 50% só se mantêm por motivos que não se referem ao relacionamento conjugal: conveniência, finanças ou filhos. Portanto, com base nessa realidade, quero lhe fazer uma pergunta: se 50% de todos os aviões caíssem, não seria melhor tomar um cuidado especial antes de voar?

Pense nisto. Se você soubesse que um a cada dois aviões sofre acidente, faria uma investigação antes de voar — pois não desejaria sofrer essa fatalidade. No entanto, muitos casamentos terminam em divórcio, e continuamos a ver pessoas correndo ao altar para se casar, quase sempre levadas pela emoção. Como diria a comediante Minnie Pearl, essas pessoas descobrem rapidamente que "o casamento é muito parecido com uma banheira de água quente. Assim que você se acostuma com a água, ela já não parece tão quente".

O entendimento bíblico acerca da natureza e do propósito do casamento é essencial para se alcançar um ambiente familiar frutífero. Há mais que sentimentos dentro do casamento. Há um chamado, a ambos os cônjuges, para impactar o mundo em favor do reino de Deus e glorificar ao Senhor em tudo.

Uma de minhas tarefas mais prazerosas enquanto meus filhos moravam conosco era levá-los à escola todos os dias. Eu gostava disso porque nos dava a oportunidade de ficar juntos no início de cada dia, estabelecia uma rotina matinal de conversas e troca de ideias e, principalmente, nos permitia tomar o café da manhã juntos.

Agora que todos eles são adultos, não deixo passar um dia sem ver um de meus filhos ou de conversar com eles por telefone. Penso que grande parte disso tem a ver com aquele hábito de passar um tempo juntos no café da manhã, dirigir o carro até a escola, fazer os deveres de casa à noite e sentar à mesa para jantar. Aqueles momentos estabeleceram uma conexão que dura até hoje.

Um dos aspectos interessantes de levar os filhos à escola é que sempre há um esquema razoavelmente elaborado para deixá-los lá. Talvez você saiba do que estou falando. Todas as vezes que vemos centenas de carros e pais parados na fila diante da escola, com os mesmos propósitos e o mesmo destino, mas vindos de direções diferentes, sabemos que há necessidade de uma boa organização para deixar e pegar as crianças em um curto espaço de tempo. Há faixas para descer do carro e para entrar nele, e também outras para entradas e saídas da escola.

E mais: há sempre um policial na rua para dirigir o tráfego. Ora, os carros são muito mais robustos que o policial. São maiores que o policial. Andam mais rápido que o policial. Podem até atropelar o policial. Mas, quando o policial levanta a mão, os carros param. Quando o policial movimenta a mão, os carros seguem em frente. Os motoristas fazem o que o policial ordena. Fazem isso porque ele foi investido de autoridade para dirigir o trânsito, que se tornaria um caos se centenas de carros transportando centenas de crianças tentassem chegar exatamente ao mesmo tempo.

Deus responde

Outro exemplo de caos foi o Onze de Setembro. Aquele dia afetou cada um dos norte-americanos de maneira diferente, mas o que todos experimentamos em comum foi o conhecimento de um conceito novo — o terrorismo — que veio para a parte frontal de nosso cérebro. O incidente também aumentou nossa conscientização para apreciar mais o tempo que passamos com nossos queridos e familiares. Foi uma afronta que nos fez agir, como nação, contra o terrorismo. No entanto, apesar dos esforços para promover a paz e a estabilidade nas áreas que carecem disso, os terroristas continuam a tentar criar o caos. Eles sabem que, se conseguirem manter o caos, poderão limitar o progresso da liberdade e da força, tão estimados nos Estados Unidos.

Satanás tem o mesmo objetivo em mente quando vê que sua vida é poderosa como mulher do reino. Ele tenta promover uma agitação para que você não encontre ordem, paz e harmonia em seu progresso como mulher do reino. A situação seria semelhante se os motoristas dos carros de onde saem as crianças para a escola decidissem agir por conta própria, isto é, optassem por não parar quando o policial levantasse a mão, resolvessem seguir na faixa errada ou na direção errada, não reduzissem a velocidade. Qualquer uma dessas infrações, mesmo que cometida por apenas alguns carros — ou mesmo por um só carro — criaria problemas para todos os que estivessem tentando deixar os filhos na escola.

Satanás sabe que, se quiser anular sua capacidade de administrar as coisas, terá de destruir a ordem e causar confusão e dissensão à sua volta. Satanás sabe que pode dominar tudo aquilo que ele é capaz de dividir. E ele nos confunde porque sabe que Deus trabalha em um contexto de unidade. Satanás busca eliminar Deus da equação e, para isso, divide os que estão sob o domínio divino. Uma das artimanhas que ele usa para fazer isso na vida de uma mulher é embaralhar a harmonia estabelecida por Deus.

Satanás sabe que pode dominar tudo aquilo que ele é capaz de dividir.

Quando criou o homem e a mulher, Deus estabeleceu uma harmonia entre ele próprio e o casal, bem como entre o homem e a mulher. Eva foi criada como complemento, ou auxiliadora, de Adão, mas a responsabilidade final era do homem. Sabemos disso porque, apesar de ter sido Eva a parte enganada, que comeu do fruto em primeiro lugar, Deus procurou Adão no jardim para responsabilizá-lo pela ação de ambos. Deus não disse: "Adão e Eva, onde vocês dois estão?". Ele disse: "Adão, onde está *você*?".

Conforme vimos no primeiro capítulo deste livro, a língua original que descreve Eva a retrata como uma firme parceira de Adão. Eva foi criada para proporcionar *ajuda firme* na posição de *auxiliadora*. Devia *auxiliar* em todos os sentidos da palavra. Como vimos antes, Deus valoriza as mulheres de tal forma que diz especificamente aos homens que não ouvirá suas orações nem responderá a elas se eles não honrarem a esposa (1Pe 3.7). Quando Deus deu a Adão e Eva ordem de dominar a criação, as bênçãos resultantes da obediência a essa ordem deveriam recair sobre ambos. Na verdade, Deus não abençoaria apenas o homem, deixando a mulher de fora, porque a bênção foi destinada aos dois.

As mulheres foram criadas para ser um componente essencial no cumprimento da ordem divina, e prova disso é que Satanás recorreu a Eva em primeiro lugar para tentar quebrar tal ordem. Ele sabia que, se conseguisse convencê-la, seria mais fácil convencer Adão. E Satanás estava certo. Ao reverter os papéis estabelecidos por Deus, Satanás introduziu o caos no jardim, onde antes havia paz. No fundo, Satanás convenceu Eva a sair da faixa certa. Em consequência disso, Adão e Eva saíram da faixa e perderam a capacidade de dirigir (ou administrar) o mundo em que viviam. Em vez de apreciar as bênçãos que Deus prometera, justamente aquilo que por si só já seria uma bênção — isto é, a terra que produzia fruto e folhagem — transformou-se em maldição.

Muitas pessoas vivem hoje a tensão do caos porque não se posicionam nas faixas indicadas por Deus a fim de apreciar tudo o que ele planejou para elas. Isso exerce influência sobre elas e também sobre todos à sua volta.

No Novo Testamento, esse caos que Satanás deseja introduzir na vida dos cristãos chama-se "mistério da iniquidade" (2Ts 2.7). Refere-se à manipulação de Satanás para criar desordem e limitar o poder das bênçãos em nossa vida. A única maneira de contra-atacar os planos de Satanás é harmonizar-se com a ordem determinada por Deus, porque, dessa forma, você invocará a proteção e a bênção divinas.

A bem da verdade, quando você toma decisões com base na harmonia determinada por Deus, descobre que ele sabe exatamente como atender às suas necessidades. A Bíblia diz que o Senhor honra aqueles que o honram (1Sm 2.30) e que, se você entregar a ele seu caminho — decisões, ações e coração —, "ele atenderá aos desejos do seu coração" (Sl 37.4). Você não precisa tentar fazer manobras para consegui-los. Não precisa tentar ir atrás, correr em volta ou passar por cima de seu marido para alcançá-los. A maneira mais garantida de receber as bênçãos e o poder de Deus em sua vida é respeitando seus mandamentos, confiando nele de todo o coração, pois ele se preocupa com você.

A maneira mais garantida de receber as bênçãos e o poder de Deus em sua vida é respeitando seus mandamentos, confiando nele de todo o coração, pois ele se preocupa com você.

Crônicas de Chrystal

Faço nossa declaração de renda todos os anos. Sou formada em contabilidade, então me responsabilizo por declarar a renda de nossa família.

Isso normalmente é muito cansativo. Não porque é difícil fazer a declaração de renda. É cansativo porque preciso encontrar T-E-M-P-O para fazer isso. Embora na teoria eu possa dividir essa tarefa monstruosa em partes e vencer pouco a pouco, prefiro mergulhar de cabeça e concentrar-me inteiramente para aprontá-la de uma vez, o que leva muito tempo.

Normalmente, durante três dias, às vezes durante um fim de semana, convenço meu marido de que, para eu fazer nossa declaração de renda, ele precisa assumir a responsabilidade de cuidar dos filhos sozinho. Assim, posso me trancar em um cômodo e dar toda a atenção àquela palavra especial que me traz felicidade a cada primavera: R-E-E-M-B-O-L-S-O.

Veja bem, tenho um motivo oculto para aprontar nossa declaração de renda. Significa que vou gastar dinheiro.

No entanto, antes que você pense que sou insensível e que me esforço muito para poder sair e gastar, dê-me a chance de explicar. O reembolso me traz o dinheiro necessário para gastar em coisas para nossa família. Em geral, parte desse dinheiro é usada em nossa escola doméstica. Também usamos uma parte para pagar contas ou dívidas, ou para amortizar alguns de nossos objetivos financeiros de longo prazo. Mas quase sempre eu planejo adquirir algo que seja importante para mim ou para minha família.

Neste ano, esta humilde dona de casa decidiu que a família Hurst precisava de um sofá novo. Não de um sofá qualquer. Apaixonei-me pela ideia de ter um sofá de couro marrom com várias almofadas. Por isso, quero lhe apresentar algumas razões para explicar por que eu sabia que aquele era o sofá ideal para nossa família.

Um sofá novo nos daria um espaço mais que necessário para acomodar a família na sala. Além de nossa família ser maior que uma família normal, todas as vezes que os parentes nos visitam, observo que necessitamos de mais lugares para sentar. O sofá específico que eu estava namorando permitiria que transferíssemos nosso sofá de tamanho normal para a sala de jogos. Humm, digamos que as acomodações atuais de nossa sala de jogos sejam "muito amadas". (Leia-se: "o sofá, que tem quase a idade de meu filho mais velho, está com o enchimento à mostra"!)

Um sofá novo criaria uma atmosfera mais amigável para as crianças pequenas. Imaginei que um estofado com várias almofadas de couro seria perfeito para aguentar líquidos derramados e a sujeira que minha família parece criar. Como seria bom pegar um pano molhado e limpar a sujeira em vez de usar um limpador de tecido na esperança de tirar a mancha!

Meu último argumento para atrair a sensibilidade da família para um sofá novo foi um com o qual eu tinha certeza de que convenceria meu marido. Alguns meses atrás, antes do aniversário de Jessie, algumas pessoas da família contribuíram para a compra de uma TV de tela plana para a sala de estar, tendo Jessie em mente. Embora aquele fosse um presente extraordinariamente apreciado, os assentos para ver aquela TV eram limitados, e as pessoas ficavam mal acomodadas. Eu sabia que meu marido concordaria comigo quanto à aquisição de um sofá com várias almofadas para nossa sala.

Assim, tarde da noite, após um dia em que me debati freneticamente com nossa declaração de renda, na tentativa de terminá-la antes que meu marido fosse para a cama, levantei-me vitoriosa da mesa e quase corri em direção a Jessie com o valor final de nosso reembolso. Eu estava eufórica! Não tinha apenas o argumento; agora tínhamos o dinheiro.

Apresentei a situação ao meu marido e mostrei-lhe a respectiva documentação.

E ele disse "Não".

Empalideci. Minha mente duvidou da minha capacidade de audição.

Parti para a lógica. Os homens são lógicos, certo? São, mas isso não significa que a lógica de meu marido seja igual à minha! Quando a lógica não funcionou, passei a implorar.

Conclusão: perdi o argumento — melhor dizendo, a *discussão* — e tive de simplesmente mudar de ideia, seguir em frente e fazer o melhor com o sofá que tínhamos. Também mudei de ideia visando fazer o possível para honrar os desejos de meu marido, e desisti do assunto. Será que alguém pode testemunhar comigo que a coisa mais difícil que uma mulher piedosa pode aprender no casamento é ficar de boca fechada?!

> *A coisa mais difícil que uma mulher piedosa pode aprender no casamento é ficar de boca fechada.*

Vamos avançar algumas semanas. Um dia, no início da tarde, meu marido e eu entramos no carro para ir juntos a uma consulta médica. Saímos da garagem e pegamos a estrada rural principal. Viramos à esquerda e rodamos pouco menos de oitocentos metros, passando diante do gramado de nosso vizinho, do lado esquerdo da rua. No gramado da frente de nosso vizinho havia um sofá de couro marrom com várias almofadas, com um cartaz onde se lia: "Vende-se". O sofá que imaginei para minha sala de jantar estava naquele gramado — à minha espera!

No fim do dia, meu sofá novo, e muito usado e amado, estava em minha sala de estar. Entrega grátis. Sem juros. Sem complicação. Deus atendeu a um desejo do meu coração.

O que aprendi com aquela experiência? Deus conhece os desejos do nosso coração. E quase sempre — mas nem sempre — ele os honra. Não me recordo de ter ajoelhado e pedido a Deus que me desse aquele sofá de couro marrom. Mas sei, sem sombra de dúvida, que meu amado Deus providenciou para que o sofá que eu queria estivesse convenientemente à minha disposição, de uma forma que meus planos não poderiam vislumbrar.

Provérbios 10.22 diz: "A bênção do Eterno torna rica a vida; o esforço humano nada altera nem acrescenta" (A Mensagem).

É maravilhoso saber que Deus nos ouve ainda que não digamos uma só palavra. Quando nos abençoa, ele faz mais por nós do que poderíamos fazer.

Salmos 37.4 afirma: "Deleite-se no SENHOR, e ele atenderá aos desejos do seu coração".

Deus nos ouve. Ele sabe onde estamos, o que vamos passar e o que desejamos — mesmo sem dizermos uma só palavra. Ele nos ama incondicionalmente e deleita-se em mostrar seu amor em momentos inesperados e lugares inesperados.

Ordem divina

A ilustração de Chrystal nos faz lembrar do amor e da fidelidade de Deus, que se mostram tão claramente quando o honramos com nossas decisões e nos submetemos a ele.

A principal passagem bíblica acerca da ordem divinamente estabelecida encontra-se em 1Coríntios e envolve esse conceito de submissão. Paulo destacou essa realidade no contexto de uma igreja indisciplinada, localizada no centro da devassa Corinto do século primeiro.

Se você já leu 1Coríntios, sabe que a igreja de Corinto não primava por santidade. Não havia ordem nenhuma. Tudo era caótico. E esse ambiente fez surgir divisão, mágoa e decepção dentro da igreja. Em razão do caos, Paulo se dirigiu aos cristãos de Corinto para tratar da premissa básica que sustenta todas as coisas.

Isso poderia ser comparado à forma como um pai se dirige aos filhos quando se tornam indisciplinados. O pai explica o fundamento: "Quem manda aqui sou eu". Paulo queria lembrar à igreja indisciplinada de Corinto quem estava no comando — Deus — e quais eram as ordens divinas; portanto, escreveu isto a eles, conforme vimos no capítulo 7:

> Tornem-se meus imitadores, como eu o sou de Cristo. [...] Quero, porém, que entendam que o cabeça de todo homem é Cristo, e o cabeça da mulher é o homem, e o cabeça de Cristo é Deus.
>
> 1Coríntios 11.1,3

Paulo não fez rodeios. Não dourou a pílula. Foi muito claro. Quando estabeleceu a ordem das coisas, Deus não a escondeu em lugar de difícil acesso. Afirmou claramente:

1. O homem é o cabeça *da* mulher.
2. Cristo é o cabeça de todo homem.
3. Deus é o cabeça de Cristo.

Antes de prosseguir, quero lhe dizer que este é um assunto muito delicado. Confie em mim, eu sei. Conforme disse antes, tenho aconselhado homens e mulheres há muito tempo, e a questão da liderança e da ordem é um ponto muito complexo. Portanto, antes de tudo quero deixar algo bem claro: *Ordem não tem nada a ver com igualdade.* Tem tudo a ver com eficiência na respectiva função.

Jesus é igual a Deus. No entanto, embora Jesus seja igual a Deus em sua essência, ele não era igual a Deus em sua função na terra. Quando veio ao mundo, Jesus afirmou: "Pois desci dos céus, não para fazer a minha vontade, mas para fazer a vontade daquele que me enviou" (Jo 6.38). Disse também: "A minha comida é fazer a vontade daquele que me enviou e concluir a sua obra" (4.34). Jesus submeteu-se ao Pai a fim de cumprir sua função na terra e, ao mesmo tempo, era igual ao próprio Pai (Fp 2.6).

Deus sempre trabalha dentro de determinada estrutura. Em outras palavras, você não pode se envolver com Deus se criar uma estrutura própria. Satanás dirigiu-se a Eva para reverter uma ordem dada por Deus porque sabia que, se conseguisse desencaminhar Eva, os dois, Adão e Eva, se distanciariam de Deus (Gn 3). Quando os papéis são trocados, as portas do inferno se escancaram.

Deus sempre trabalha dentro de determinada estrutura.

Entendo que, às vezes, as pessoas se confundem e acham que *função* significa *desigualdade* e, por isso, degradam e desrespeitam as mulheres. A Bíblia não diz nada disso. É por essa razão que as Escrituras dizem que a mulher é co-herdeira, isto é, uma parceira com direitos iguais (1Pe 3.7).

Há uma diferença entre igualdade de *ser* e igualdade de *função*. As pessoas não têm a mesma função. Embora toda mulher casada seja igual a seu marido como um ser, ela não é igual ao marido na função. Quando estamos dentro da função a nós determinada, Deus tem liberdade para enviar as bênçãos de seu reino a nós e por meio de nós.

Ora, eu sei que algumas de vocês estão dizendo: "Mas, Tony, e se meu marido não for um homem do reino? E se ele não for submisso a Deus? O que devo fazer?". A resposta é simples: submeta-se à Palavra de Deus e à vontade divina enquanto ora por seu marido para que ele também se submeta ao Senhor. Conforme vimos antes, Zípora é um excelente exemplo bíblico de uma mulher cujo marido, Moisés, não obedeceu à vontade de Deus em certa situação. Deus instruíra Moisés a circuncidar seus filhos, porém Moisés não lhe obedeceu. Em consequência disso, o Senhor irou-se contra Moisés a ponto de decidir matá-lo. Sabendo disso, Zípora interveio e cumpriu o mandamento divino.

Deus desviou sua ira de Moisés porque Zípora interveio em favor do marido. Submissão significa sujeitar-se "como ao Senhor" (Ef 5.22). O Novo Testamento diz o seguinte a respeito do exemplo de mulheres do reino: "Pois era assim que também costumavam adornar-se as santas mulheres do passado, que colocavam sua esperança em Deus. Elas se sujeitavam cada uma a seu marido" (1Pe 3.5).

Submissão significa que o homem ocupa uma posição de autoridade, mas nunca de autoridade absoluta. Por exemplo, Deus não pede que você se submeta a agressão física ou verbal. Quando um homem deseja machucar uma mulher com sua força física ou com palavras, ela não deve se submeter a isso.

Aquilo que Paulo escreveu a respeito de submissão não se aplica apenas às mulheres. Ele escreveu que Cristo é o cabeça de todo homem. O homem deve se submeter a Jesus Cristo a fim de abrir as comportas das bênçãos de Deus sobre sua casa. Se você é casada com um homem que não se submete a Deus, Pedro explica o poder que você, como mulher do reino, pode ter nessa situação: "Do mesmo modo, mulheres, sujeite-se cada uma a seu marido, a fim de que, se ele não obedece à palavra, seja ganho sem palavras, pelo procedimento de sua mulher, observando a conduta honesta e respeitosa de vocês" (1Pe 3.1-2).

Como mulher, você tem o poder de influenciar seu marido por meio do que faz. Conforme vimos no caso de Zípora, Deus observa. Isso não quer dizer que você nunca deva se manifestar. Os versículos falam mais de um espírito tranquilo. A verdade continua a ser a verdade, e todos os cristãos são chamados a falar a verdade com amor. Todo homem é responsável perante Deus, por isso é correto encorajá-lo em sua função e para que tenha uma vida submissa ao Senhor.

Uma forma prática de influenciar seu marido é encorajá-lo a ler o livro *Kingdom Man* [Homem do reino] com você. Nesse livro, falo objetivamente a respeito da função do marido no lar. Às vezes, os homens ouvem outros homens com mais facilidade do que ouvem as mulheres. Se não for possível ler *Kingdom Man*, incentive-o a ler outros livros que incentivam o crescimento espiritual ou ouvir ensinamentos bíblicos em um CD ou pela internet.

Muitas mulheres têm dificuldade com a submissão porque pensam: "Sou mais esperta que meu marido. Ganho mais dinheiro que meu marido. Tenho mais instrução que meu marido. Tenho mais bom senso que meu marido. Não posso ser submissa a ele". Bom, suponhamos que um motorista de um caminhão de dezoito rodas esteja tentando entrar na rodovia principal. Digamos que haja um carro comum trafegando na rodovia. O caminhão precisa se render. Ora, o caminhão pode ser maior que o carro, mas o carro tem preferência.

Será que o motorista do caminhão poderia dizer: "Sou maior que você, por isso você deve parar na rodovia para eu entrar"? Se houver um acidente, o erro será do motorista do caminhão. Embora o caminhão seja maior e mais pesado, estará infringindo a lei.

Quando a ordem é seguida, abre os canais para que o poder do reino de Deus possa fluir.

Submissão não tem nada a ver com tamanho. Submissão não tem nada a ver com grau de instrução, renda ou sucesso. Tem tudo a ver com a ordem determinada por Deus. Quando a ordem é seguida, abre os canais para que o poder do reino de Deus possa fluir.

Educando filhos do reino

Muito se pode dizer sobre a educação de filhos do reino. Instruir a próxima geração de homens e mulheres do reino é uma das maiores responsabilidades de um pai ou uma mãe. Embora nem todas as mulheres tenham passado pela experiência de ter filhos biológicos, muitas que nunca deram à luz adotaram parentes, membros da igreja ou vizinhos, ou se tornaram mães espirituais dessas pessoas. Em certo grau, todos exercemos a função de pai ou de mãe. As mães solteiras, em particular, se sentem assoberbadas com a missão de tentar atender a todas as necessidades básicas dos filhos. (Chrystal falará mais sobre isso no próximo capítulo.)

A Bíblia diz o que acontece quando a educação dos filhos não se baseia nos princípios do reino. Haverá maldição: "O jovem se levantará contra o idoso, o desprezível contra o nobre" (Is 3.5). A cultura inteira — a nação como um todo — sofre quando os filhos não são educados corretamente. Educar filhos do reino não é algo que se faz com vistas a ter uma velhice tranquila. Educar filhos do reino é um componente essencial para a preservação da cultura contra a decadência moral e espiritual.

Por que Deus deseja que você tenha filhos? Bem, posso dizer um motivo para Deus não querer: Deus não está tentando criar seres parecidos com você. Não é esse o objetivo dele. O objetivo de Deus é que os homens do reino e as mulheres do reino criem filhos do reino que reproduzam a imagem dele na terra. Deus quer seres parecidos com ele. O propósito dos filhos está na reprodução da imagem de Deus entre a humanidade, por toda a terra, para que promovam seu reino.

Os filhos têm um motivo espiritual para existir, e não apenas um motivo biológico, físico ou familiar. Deus quer que os pais transmitam a visão de mundo teocêntrica — centrada em Deus — para os filhos. Educar filhos do reino significa dar a seus filhos uma perspectiva do reino, para que eles alinhem suas decisões com a vontade divina. Isso, por sua vez, glorificará a Deus, porque, assim, eles refletirão o domínio do Senhor sobre a terra.

Educar filhos com uma perspectiva do reino é amá-los plenamente. Amar não significa comprar jogos eletrônicos, roupas ou brinquedos. Não há nada errado em comprar essas coisas para seus filhos, mas o que eles necessitam verdadeiramente é aprender a ser responsáveis, pacientes, trabalhadores e pessoas de mente espiritualizada. Esses são os melhores presentes de amor que você pode dar a seus filhos, pois essas características os capacitarão a ter sucesso na vida.

E aqui vai uma observação para as mães solteiras: haverá ocasiões em que você sentirá que não pode ser tudo para seus filhos. É bem provável que você trabalhe para poder pagar as contas, e seu tempo é limitado. No entanto, Deus a ajudará a fazer o melhor possível para você ser uma influência positiva na vida de seus filhos. Sejam quais forem suas circunstâncias, seu objetivo ainda é prepará-los para um dia serem homens do reino e mulheres do reino.

Nunca subestime o poder de uma mulher do reino como mãe. Por exemplo, a Bíblia diz que o pai de Timóteo rejeitou a Deus. Timóteo não teve um homem do reino como pai. Mesmo assim, serviu a Deus fielmente, graças aos ensinamentos e incentivos recebidos de sua mãe e de sua avó. Ensinar os filhos a serem seguidores consagrados de Jesus Cristo, embora o pai ou as pessoas ao redor deles não o sejam, é uma das coisas mais importantes que você pode fazer como mãe.

Paulo ensinou que as mulheres do reino devem estar "ocupadas em casa" (Tt 2.5). Um dia, uma filha estava folheando o álbum de fotografias da família em companhia do pai e da mãe quando deparou com as fotos do casamento deles. Ela olhou para o pai e perguntou: "Papai, quando você se casou com a mamãe, foi nesse dia que a trouxe para casa para trabalhar para você?". Ora, sei o que você deve estar pensando: "Tony, eu cursei faculdade da mesma forma que ele. Para dizer a verdade, tenho mais diplomas que ele. Posso ganhar mais dinheiro que ele. Por que tenho de trabalhar em casa se posso trabalhar melhor que ele fora de casa?".

Minha resposta é simples: Tito 2.3-5 deixa claro que a mulher do reino não deve trocar a família por uma carreira profissional. A passagem não diz que você não pode ter uma carreira profissional — ou até mesmo uma carreira bem-sucedida. Ocorre que a carreira profissional não deve chegar ao ponto de prejudicar o cuidado com sua família e seu lar.

Se sua casa nunca está limpa porque suas prioridades fora dela consomem seu tempo e energia, você precisa reavaliar suas prioridades. Conforme vimos quando analisamos a mulher de Provérbios 31, cuidar da casa não significa que você não possa ter sucesso em outro lugar. Significa simplesmente administrar a casa de tal maneira que cada pessoa esteja em condições de viver para o reino. A mulher do reino adquire uma importância suprema quando educa a geração seguinte de acordo com os princípios e preceitos de Deus.

Honrar sem medo

O Antigo Testamento fala de uma mulher do reino, Sara, que durante décadas desejou ser mãe. Sara e Abraão passaram anos tentando ter filhos. Você conhece a história: ambos eram idosos e não haviam gerado nenhum bebê. Graças à decisão de honrar a Deus honrando Abraão destemidamente, Sara foi abençoada e gerou um filho depois de velha.

A submissão de Sara a Abraão, mesmo em meio ao sofrimento de não poder gerar filhos, é apresentada como uma das melhores ilustrações de como a mulher do reino deve viver: "como Sara, que obedecia a Abraão e o chamava de senhor. Dela vocês serão filhas, se praticarem o bem e não derem lugar ao medo" (1Pe 3.6).

Além de ser submissa a Abraão, Sara o honrava como "senhor". Honrar seu marido é uma das coisas importantes e mais poderosas que você pode fazer como mulher do reino. Você deve ser a maior torcedora de seu marido. Quer concorde com ele, quer discorde dele, ao honrá-lo você está lhe dizendo que respeita a posição a ele destinada. E, ao honrar seu marido, você também atrai a atenção favorável de Deus.

Conforme expliquei antes, submissão não implica silêncio nem significa que você não tenha determinação e cérebro para pensar. Até Jesus expressou seus pensamentos e sentimentos a Deus. Submissão, contudo, significa estar disposta a ser submissa à autoridade de outra pessoa, desde que essa autoridade não exija que você desobedeça a Deus.

Nenhum homem, nem mesmo seu marido, tem autoridade absoluta sobre você. O marido tem uma *autoridade relativa* porque, no momento em que ele parar de ser submisso ao Senhor, comprometerá a autoridade que tem sobre você. É por isso que você deve obedecer mais a Deus que ao homem. Submissão é simplesmente respeitar uma função quando a pessoa que ocupa essa função respeita a Deus. Quando você vê a submissão por esse ângulo, deixa de ter medo dela.

Um dos motivos pelos quais as mulheres de hoje não recebem o milagre que esperam para sua vida é porque não optaram por honrar o marido na função que Deus atribuiu a ele. Sara, contudo, chamava Abraão de "senhor" — honrando a função dele em sua vida — e por isso recebeu o milagre. Ela engravidou e deu à luz Isaque. A submissão de Sara a levou a receber um milagre, e ela se tornou a manifestação visível do que Davi escreveu no salmo 128: "Sua mulher será como videira frutífera em sua casa" (v. 3). Além de ser frutífera espiritualmente — afinal ela passou a fazer parte dos exemplos de fé descritos em Hebreus —, Sara foi frutífera fisicamente, pois deu à luz em uma idade em que isso não era mais possível. Portanto, não permita que sua falta de submissão a impeça de receber um milagre.

O princípio da submissão que se aplicou a Sara aplica-se também a você. E, quando você honra esse princípio, vê Deus honrá-la de maneira tal que nem sequer é capaz de imaginar. Deus é tão eficiente em ser Deus que não necessita de matéria-prima para criar um milagre. Deus "chama à existência coisas que não existem" (Rm 4.17), conforme fez com Isaque em um ventre estéril e sem vida. Ele pode pegar coisas vazias e dar-lhes vida. Pode pegar um ventre inerte e intervir milagrosamente a ponto de abrigar um ser vivo.

Na verdade, ele pode pegar um futuro estéril e torná-lo vivo. Ou avivar uma carreira profissional estéril, um sonho estéril, um coração estéril. Deus é mestre em dar vida àquilo que aparenta ser infrutífero. Se você tem uma esperança estéril, um casamento estéril ou um sonho estéril, honre a Deus como mulher do reino e veja-o trabalhar em seu favor. Se é solteira há muito tempo, talvez tenha desistido de acreditar que seu futuro marido esteja em algum lugar por aí.

Se você firmar sua fé em Deus, ele poderá trazer seu futuro marido diretamente a você.

Conforme dissemos no capítulo 9, você não precisa inventar uma forma de conhecer o homem de sua vida. Deus é tão bom no que faz que, se você firmar sua fé nele e parar de procurar soluções humanas para um problema espiritual, ele poderá trazer seu futuro marido diretamente a você. Ele pode criar famílias, carreiras profissionais, futuros e vida em lugares aparentemente estéreis. Confie nele.

Você sentirá uma enorme liberdade quando se der conta de que sua maior submissão é estar sob o cuidado e o carinho de Deus.

A mulher do reino trabalha e se submete à lei de Deus sem medo. Se você se submeter a Deus e honrá-lo com base nas diferentes funções que ele estabeleceu no contexto do casamento e da educação de filhos, poderá sentir a presença divina de maneira inimaginável.

11

A MULHER DO REINO E SUA IGREJA

Após o culto, gosto de saudar os visitantes e aqueles que comparecem assiduamente à minha igreja. Há sempre uma fila de pessoas para me cumprimentar ou fazer um comentário sobre a mensagem do dia. Contaram-me a história de um pastor que, em um culto especial, notou a presença de uma senhora que aparecia apenas esporadicamente. Após o culto esse pastor disse:

— Você vem aqui de tempos em tempos. Seria uma boa ideia se você ingressasse no Exército do Senhor e viesse com mais frequência.

A mulher replicou:

— Já pertenço ao Exército do Senhor, pastor.

— Bem, então por que eu só a vejo aqui no Natal e na Páscoa?

Ela então sussurrou:

— É que eu faço parte do Serviço Secreto.

Esse tipo de situação acontece o tempo todo. Encontrar alguém com um verdadeiro compromisso de comparecer à igreja é um desafio. Com tantas coisas competindo por nosso tempo e atenção, a frequência regular à igreja deixou de fazer parte da lista de valores de muita gente, sem falar no real envolvimento com a congregação.

O oposto, porém, também é verdadeiro. Encontramos pessoas que comparecem fielmente à igreja por muitos anos, até décadas, mas a vida delas apresenta apenas um tímido reflexo da imagem de Jesus Cristo.

Ir à igreja não torna ninguém cristão, nem um cristão melhor. O coração precisa estar aberto ao processo de discipulado, que deve ocorrer na igreja a fim de se produzir frutos duradouros e promover transformação.

Hoje, é comum as pessoas considerarem a igreja uma casa de repouso, e não o hospital que ela deveria ser. Casa de repouso é aonde as pessoas vão para se sentirem confortáveis enquanto esperam a morte. Elas consideram a igreja um lugar para se sentir melhor, e não para ficar melhor.

O hospital, por outro lado, alia funcionários e estratégias com a finalidade de tratar da saúde de quem ali está. O hospital não se concentra em tentar fazer o paciente se sentir bem. Às vezes, os médicos precisam fazer incisões. Às vezes, precisam ministrar drogas. Às vezes, precisam fazer a pessoa sentir-se desconfortável. Mas tudo isso é feito para devolver-lhe a saúde.

Quando o objetivo de dirigir a igreja é dar às pessoas um lugar onde elas se sintam bem até que chegue a hora de sua morte, em vez de oferecer-lhes um local onde tenham saúde enquanto vivem, a intenção de Cristo para sua igreja fica prejudicada. Essa não é a igreja que Jesus Cristo fundou.

Ao falar do conjunto dos cristãos, Jesus referiu-se a uma instituição forte e saudável contra a qual nem mesmo o inferno prevaleceria. De fato, a palavra *ecclesia*, que às vezes é usada no Novo Testamento no sentido de *igreja*, remete a um conselho governante grego que legislava em favor da população.[1] O conselho governante só podia governar se a saúde e a força de seus integrantes estivessem bem. Se os membros optassem por passar o tempo aguardando a morte chegar, procurando um lugar agradável para se reunir com os amigos, comer e cantar, o conselho não teria legislado bem em favor da comunidade.

A finalidade da igreja é ser muito mais que um clube social ou um local de entretenimento. É ser mais que um lugar para solteiros conhecerem companhias apropriadas. A finalidade da igreja é ser *um grupo de pessoas chamadas para introduzir o governo de Cristo sobre a humanidade, aplicando-o e praticando-o de maneira relevante.*

Quando Jesus falou da Igreja que resiste às forças das "portas do inferno" (Mt 16.18, RA),

> *A finalidade da igreja é ser muito mais que um clube social ou um local de entretenimento.*

a palavra "portas" se referia ao lugar onde ocorriam as atividades legislativas. A porta era o lugar onde os líderes de uma comunidade se reuniam para legislar e tomar decisões em favor do povo.[2]

No corpo de Cristo, o conceito de legislação é reforçado pelo fato de que as "chaves" são dadas à igreja para que ela tenha acesso à autoridade do céu e a exerça na terra (Mt 16.19). Jesus está posicionado à direita de Deus para governar do céu, e nós estamos posicionados com ele (Ef 2.6). É por isso que acredito que Deus costuma decidir o que vai fazer com base no que vê a igreja fazendo (Ef 3.10).

O propósito da igreja vai além de ser um simples lugar para inspiração espiritual ou análise da cultura na qual ela reside. O propósito da igreja, *ecclesia*, é manifestar os valores do céu no contexto da humanidade.

Esses valores só podem ser manifestados se aqueles que estão dentro da *ecclesia* os refletirem. A demonstração visível do reino de Deus na terra está ligada à quantidade de membros do corpo de Cristo que se apresentam como homens do reino ou mulheres do reino. Embora o contexto fundamental para se desenvolver mulheres do reino seja pelo núcleo familiar, esse processo também se estende além do núcleo familiar para a igreja local. É por isso que a responsabilidade eclesiástica de "cuidar" é explicada em termos femininos na Bíblia.

O objetivo da igreja é transmitir uma visão do mundo bíblica, de modo que as mulheres comecem a pensar e atuar como Jesus Cristo. Uma das prioridades principais de toda igreja deve ser a de ter um ministério feminino que ofereça às mulheres a oportunidade de discipular outras irmãs, de acordo com a filosofia de Tito 2. O objetivo da igreja é ter mulheres do reino encorajando e preparando outras mulheres para que também se tornem cidadãs do reino. Toda igreja deve manter sempre o foco no discipulado. *Discipulado* é aquele procedimento evolutivo da igreja local que busca os cristãos desde a infância espiritual até a maturidade espiritual, para que possam repetir o processo com outra pessoa. O fato de a cultura não oferecer um meio específico para transmitir às gerações futuras uma visão bíblica do mundo não significa que a igreja não deva oferecê-lo. Devemos refletir outra cultura — a cultura do reino.

Discípulos do reino

Se você quiser descobrir o que é mais importante para alguém, preste atenção às últimas palavras dessa pessoa. Se você deseja ser mulher do reino, precisa saber o que é mais importante para o Rei, para que também seja o mais importante para você. Pouco antes de subir ao céu, Jesus disse o que era mais importante para ele:

> Foi-me dada toda a autoridade nos céus e na terra. Portanto, vão e façam discípulos de todas as nações, batizando-os em nome do Pai e do Filho e do Espírito Santo, ensinando-os a obedecer a tudo o que eu lhes ordenei. E eu estarei com vocês, até o fim dos tempos.
>
> Mateus 28.18-20

Evidentemente, a ordem de Deus para a igreja é fazer discípulos. Significa que a vontade dele é que você se torne discípula do reino. Ser discípula de Cristo significa tornar-se semelhante a ele (Mt 10.25). E você consegue isso não apenas indo à igreja, mas também quando a igreja propicia que a vida de cada um toque a vida dos outros. Na segunda carta de Paulo a Timóteo, ele diz especificamente: "E as palavras que me ouviu dizer na presença de muitas testemunhas, confie-as a homens fiéis que sejam também capazes de ensinar outros" (2.2). A palavra grega traduzida por "homens" nessa passagem é *anthrōpos*, que se refere a "um ser humano, homem ou mulher".[3] Deus espera que o discipulado seja realizado não apenas por homens, mas também por mulheres.

Há muito esforço sendo feito hoje em dia para tornar as mulheres fisicamente atraentes. Gasta-se muito dinheiro e tempo em moda, pele, cuidado com os cabelos e exercícios para que a mulher atinja a beleza máxima. No entanto, mesmo a mulher mais formosa deste planeta perde o charme e o magnetismo rapidamente quando abre a boca e revela feiura em seu interior. Muitas mulheres são alta-costura por fora e loja de liquidação por dentro. Quanto tempo e esforço são dedicados hoje para tornar as mulheres atraentes espiritualmente?

Em 1979, houve uma tentativa de incluir uma representação feminina na moeda dos Estados Unidos, com o dólar Susan B. Anthony.[4] Infelizmente, o conceito não pegou. Um dos motivos principais foi que esse dólar parecia muito mais uma moeda de 25 centavos de dólar. Tinha o valor de 1 dólar, mas a aparência era de 25 centavos. Isso se assemelha com o que muitas mulheres tentam conseguir hoje em dia, isto é, querem ter a aparência de 1 dólar, mas com uma riqueza interna de apenas 25 centavos. Tal atitude gera os mais diversos tipos de confusão, decepção e desastre simplesmente porque as mulheres não desenvolveram, dentro da igreja, um sistema que produza mulheres do reino de qualidade e grande valor — por dentro e por fora.

Mulheres, Deus não quer que vocês pareçam 1 dólar e sejam apenas 25 centavos. Ele quer que seu valor espiritual interno se equipare aos esforços que você tem feito externamente para ser a manifestação plena da mulher do reino que ele imaginou ao criá-la.

Na carta de Paulo a Tito, o apóstolo apresenta instruções específicas às mulheres visando encorajá-las a ter uma vida que resplenda a plena glória que Deus planejou para cada mulher do reino:

> Semelhantemente, ensine as mulheres mais velhas a serem reverentes na sua maneira de viver, a não serem caluniadoras nem escravizadas a muito vinho, mas a serem capazes de ensinar o que é bom. Assim, poderão orientar as mulheres mais jovens a amarem seus maridos e seus filhos, a serem prudentes e puras, a estarem ocupadas em casa, e a serem bondosas e sujeitas a seus maridos, a fim de que a palavra de Deus não seja difamada.
>
> Tito 2.3-5

Acima de tudo, Paulo referiu-se especificamente às mulheres mais velhas. Note, por favor, que ele não disse mulheres "velhas". Há uma diferença. Uma mulher mais velha não é necessariamente uma velha. Significa simplesmente uma mulher que concluiu a parte essencial de criar os filhos. Talvez seja uma mulher que tenha chegado à fase do ninho vazio. Mas não quer dizer que ela não trabalhe mais nem participe das atividades de sua casa, igreja e comunidade. Significa que, em termos de ciclo de vida, os dias de educação de filhos provavelmente já ficaram para trás.

A idade física deve ser também proporcional à idade espiritual. Paulo estava falando das mulheres que aprenderam as lições espirituais da vida, cresceram e superaram muitas experiências desafiadoras. Estava falando de uma mulher que viveu o suficiente para ver o lado bom, o lado mau e o lado amargo que a vida tem a oferecer. No entanto, ela aprendeu o suficiente para estar em posição de transmitir lições valiosas às mais jovens. Ela foi exposta à verdade espiritual e a pôs em prática por um período razoável de tempo.

O uso de seus dons na igreja não é meramente acidental; é também crítico para a igreja tornar-se aquilo para o qual foi criada. As mulheres são livres para agir em qualquer aspecto do ministério da igreja, menos no que se refere à autoridade máxima.

Quando usou a palavra *semelhantemente*, Paulo estava chamando a atenção do leitor, ou ouvinte, para o que dissera anteriormente sobre os homens. No fundo, ele deseja que as mesmas qualidades que acabara de relacionar — "serem moderados, dignos de respeito, sensatos e sadios na fé, no amor e na perseverança" (Tt 2.2) — sejam também as qualidades de caráter das mulheres do reino. Essas qualidades de caráter se manifestam na reverência. A palavra *reverente* anda de mãos dadas com o conceito de adoração. Ao afirmar que as mulheres mais velhas devem ser reverentes, Paulo lembrou-se da imagem de uma mulher adoradora. Esse tipo de mulher considera tudo na vida como se fosse a representação de um Deus santo.

A reverência não deve ser demonstrada apenas quando a mulher está dentro da igreja; seu comportamento realça a reverência quando ela está fora da congregação e no modo como se comporta. Uma vida de adoração transmite a ideia de que tudo à sua volta é sagrado. Seja na igreja, em casa, no trabalho ou na comunidade, tudo o que você faz é para a glória de Deus, o Pai, e de Jesus Cristo, seu Filho.

Talvez você tenha sido educada por uma mãe ou avó que refletiram esse modo de vida; assim, entende o que Paulo estava falando. Eu fui educada dessa maneira. Minha mãe relacionava tudo na vida a uma conexão com Deus, de uma forma ou de outra. Queria que soubéssemos que Deus estava presente em tudo, e que tudo em nossa vida estava ligado à sua providência, participação e plano. Mesmo que aquilo que ela dizia ou fazia aborrecesse alguém, ela não abria mão de considerar tudo sagrado, porque vivia em atitude de adoração. Paulo mencionou que a maturidade espiritual da mulher do reino deve produzir uma vida de reverência e adoração.

É possível identificar uma mulher do reino por sua capacidade de refrear a língua. Vemos muitas mulheres na igreja que gostam de um mexerico. Para mostrar-se mais espirituais, dizem que estão "preocupadas", "cuidando dos melhores interesses" de alguém, "observando" alguém ou "orando por" alguém. Mas as pessoas ao redor sabem que elas não estão "preocupadas" com ninguém o tempo todo; trata-se apenas de uma máscara para cobrir o pecado da fofoca.

Palavras injuriosas ou degradantes sobre uma pessoa que não participa da conversa indicam que você não está usando sua língua de acordo com a vontade de Deus. Tal conduta serve apenas para revelar sua imaturidade espiritual. Quem usa a língua para difamar os outros traz difamação para si mesmo. Trata-se de um sinal visível de infantilidade e falta de espiritualidade. Não importa a idade que você tem, a posição de influência que ocupa ou o título pelo qual é chamada, sua língua revela seu nível de maturidade espiritual, e é isso que Deus leva em conta quando procura uma mulher do reino a quem possa usar para sua glória e os projetos de seu reino.

Sua língua revela seu nível de maturidade espiritual, e é isso que Deus leva em conta quando procura uma mulher do reino a quem possa usar.

Quanto mais a mulher amadurece, mais segura se torna de si mesma e de seu relacionamento com Deus. Isso a deixa livre para enaltecer os outros, ajudar os outros e não levar adiante um mexerico que acabou de ouvir. As mulheres que costumam ser mexeriqueiras — eu as conheço e você também sabe quem são — demonstram falta de espiritualidade.

Paulo ressalta outro aspecto da mulher mais velha: ela não é escravizada a muito vinho (Tt 2.3). A ideia aqui é que as coisas não sejam capazes de controlar a vida dela. Para ter uma vida vibrante, ela não precisa recorrer ao *shopping center*, à garrafa de vinho, ao clube social, aos antidepressivos. Essa vida vibrante tem origem em seu relacionamento com Jesus Cristo. A mulher espiritualmente amadurecida faz de Deus a essência de sua escolha.

Ensinando o que é bom

Um dos aspectos marcantes da mulher do reino tem a ver com o ministério de ensino. Toda mulher que criou filhos, enfrentou as batalhas do casamento ou lidou bem com a condição de solteira desenvolveu habilidades que precisam ser transmitidas àquelas que ainda não passaram por isso. Paulo disse que a mulher mais velha ensina o que é bom (Tt 2.3). Ela não ensina pelo simples prazer de ensinar. Também não ensina para se promover, aparentar ser importante ou ser o centro das atenções. A mulher experiente do reino transmite lições benéficas e úteis e procura investir na vida das mais jovens, que ainda estão aprendendo. Na igreja, toda mulher mais velha deveria ser professora, e toda mulher mais jovem deveria ser aluna.

Esse fato é especialmente crítico hoje, porque temos uma geração de mulheres mais jovens cuja vida se revela confusa cedo demais. E é difícil encontrar mulheres mais velhas maduras espiritualmente. As mais jovens necessitam de pessoas encorajadoras, que receberam o chamado para ajudar. O encorajamento inclui muito mais que informações em salas de aula, doutrina, estudo bíblico e coisas do gênero. Encorajamento implica andar com alguém e prestar-lhe assistência. É mais que apresentar uma lição de três tópicos sobre o que significa ser mulher do reino. As mulheres do reino mais habilitadas devem oferecer mais que informações: devem oferecer experiência de vida.

Houve uma época em nossa cultura na qual os valores cristãos eram transferidos automaticamente. Houve um tempo em que as mulheres discipulavam outras mulheres, não porque existisse um programa para isso ou porque alguém lhes dissesse que deveriam fazer assim, mas porque era dessa forma que viviam. As mulheres mais velhas ensinavam às mais jovens as lições básicas quanto a cozinhar, limpar a casa, trabalhar, amar e cuidar de si mesmas e também do marido e dos filhos. As mulheres mais velhas ensinavam prioridades, valores, moralidade, modéstia etc. Apesar disso, com a ascensão da autonomia, autossuficiência e independência, essa relação professora-aluna deixou de existir.

Hoje, quando as mulheres se reúnem para estudo bíblico ou pequenos grupos, isso raramente ocorre no formato professora-aluna. Todas na classe adquirem postura de mestras, e não há aprendizes. Ou todas começam a falar e querem ter a oportunidade de contar as próprias experiências ou relatar a experiência de outra pessoa, negligenciando todo o conceito de discipulado.

A reunião de um grupo de mulheres de várias gerações não constitui necessariamente um discipulado. O discipulado ocorre no contexto de um relacionamento permeado de responsabilidade. A atitude de quem ensina e a atitude de quem aprende devem ocupar o centro da discussão, a fim de que a transformação de vida esteja bem fundamentada.

> *O discipulado ocorre no contexto de um relacionamento permeado de responsabilidade.*

No entanto, em algum lugar ao longo do caminho, a responsabilidade de aconselhar e liderar deixou de fazer parte não apenas da vida das mulheres, mas também da vida dos homens. A independência e autossuficiência às quais damos tanto valor tornam-se obstáculos ao modelo de discipulado bíblico que outras culturas apoiam com mais naturalidade e, até hoje, continuam a praticar de modo organizado. Muitas pessoas da igreja perderam esse espírito de discipulado e o substituíram por uma simples reunião.

Em razão disso, tornamo-nos muito ineficientes na igreja, embora tenhamos múltiplas reuniões, diversos estudos bíblicos e grande quantidade de pequenos grupos. Sem a prática do modelo apresentado por Paulo, a igreja não é eficiente. É necessário haver uma relação de professor e aluno. Não chegamos nem perto disso, o que explica por que muitas mulheres, embora atarefadas com coisas "espirituais", não conseguem ser verdadeiras mulheres do reino.

O discipulado de Tito 2 dentro da igreja local envolve muito mais que mulheres se reunindo para o café ou almoço, para ser ouvidas, para fazer mexericos ou passar o tempo de uma forma que não inclua cuidados com o lar e a família. O discipulado consiste na transferência contínua de uma perspectiva de vida, partindo de quem já viveu e aprendeu e seguindo em direção a quem está ansioso por aprender.

Certa vez, uma mulher me contou que, enquanto frequentava outra igreja nas proximidades, ajudou a organizar o ministério de Tito 2. Várias mulheres mais jovens se inscreveram, ansiosas por tomar parte no processo de discipulado. No entanto, embora a igreja fosse considerada forte em termos doutrinários, e até maior que muitas outras igrejas de porte médio, não foi possível encontrar mulheres mais velhas, espiritualmente maduras, que aceitassem discipular as outras.

Essa carência no discipulado é confirmada pelo grande número de mulheres que gravitam em torno dos programas seculares de televisão que abordam essa prática. Existe dentro de nós o desejo de aprender e crescer. Isso torna esses personagens de televisão extremamente populares como mentores. Exemplo disso é a apresentadora Oprah Winfrey, além de outros consultores de comportamento, relações humanas e saúde. Hoje, há entre as mulheres um clamor pelo discipulado. Elas teriam grande desejo de ensinar se fossem colocadas junto de pessoas a quem respeitam e que lideram com confiança e encorajamento, sem difamação, menosprezo ou fofocas.

O propósito de ensinar é compartilhar coisas que as mulheres mais jovens não conseguem (ou não conseguiram) ver e ajudá-las a organizar a própria vida. Acima de tudo, Paulo destaca em Tito 2.4 que as mulheres devem amar seu marido. Isso também se aplica à preparação de mulheres solteiras para o casamento.

A princípio, essa parece ser uma orientação estranha. Por que você tem de ensinar e encorajar uma mulher a amar o homem por quem ela se apaixonou perdidamente e com quem se casou? É útil entender o contexto dessa passagem. Nos tempos bíblicos, a ideia de namorar antes de casar era inexistente. Eram os pais que escolhiam o cônjuge para os filhos. A situação no Novo Testamento era semelhante à de Isaque e Rebeca, que se casaram logo depois de se conhecerem.

Nos tempos bíblicos, a ideia de namorar antes de casar era inexistente. Eram os pais que escolhiam o cônjuge para os filhos.

Isso prova que é desafiador conseguir amar um marido desconhecido, com o qual você teve de se associar para ter um relacionamento íntimo. As mulheres que passaram pelo processo de aprender a amar o companheiro que lhes foi arranjado deviam ensinar o mesmo às mais jovens. Com base nessa passagem, sabemos que é possível amar biblicamente. Aprendemos o amor bíblico quando recebemos ensinamento da fonte correta. O amor bíblico não se baseia em divertimento, atração ou benefícios mútuos. Amor bíblico significa procurar, em nome de Deus, o que a outra pessoa tem de melhor. Enquanto permanecermos no centro de nosso universo, o amor será sempre uma luta. *Amor* pode ser definido como busca justificada e apaixonada pelo bem-estar de outra pessoa. Não há espaço para egoísmo nessa definição. Nem depende de gratificação pessoal.

Uma observação antes de prosseguirmos: isso não significa que uma mulher deva permanecer em um relacionamento abusivo e controlador. Quando o homem se afasta da liderança e do mandamento de Jesus e age de maneira violenta em relação à mulher com quem se casou, o amor não obriga ninguém a permanecer no casamento nem a permitir que esse tipo de conduta continue. Em geral, a atitude mais amorosa que a mulher deve ter é rebelar-se contra esse comportamento abusivo, para que o marido se responsabilize por isso, entenda que cometeu um erro e se submeta a Deus. Se você ama um homem violento, é necessário afastar-se fisicamente dele por um tempo, para não mais permitir que ele continue a viver em pecado. Quando isso acontece, é importante procurar a liderança da igreja para orientá-la no processo de separação. Em nossa igreja, temos uma assembleia semanal onde assuntos como esse, e outros, são analisados e administrados.

Honrando a Palavra de Deus

Paulo também exorta as mulheres do reino a ensinar e encorajar as mais jovens "a serem prudentes e puras, a estarem ocupadas em casa, e a serem bondosas e sujeitas a seus maridos, a fim de que a palavra de Deus não seja difamada" (Tt 2.5). Ser prudente significa tomar boas decisões, com julgamento sensato. Isso só ocorre se adotarmos a perspectiva divina.

A pureza inclui ações e atitudes. As mulheres do reino entendem que a modéstia não se curva às tendências da moda. Você pode se apresentar bem e andar na moda, ainda que se vista de forma modesta. *Modéstia* pode ser definida como vestir-se de forma que não atraia atenção inadequada. Pode-se atrair atenção inadequada quando se usa pouca roupa (muito pequena? muito curta? muito apertada?) ou quando se recorre a exageros (roupas muito chiques? extravagantes? chamativas?). Tenha em mente que a pureza vai além das roupas. A pureza envolve disposição de espírito — o que você pensa, vê, ouve, deseja e discute.

No capítulo anterior, analisamos as várias partes dessa passagem mantendo o foco na administração do lar; portanto, não vou entrar em detalhes aqui. Basicamente, Paulo estava exortando a mulher do reino a priorizar seu lar e não dar ouvidos a outras vozes competidoras. Mulheres, seu lar é um lugar espiritual. Ao cuidar dele, você não só adora a Deus, mas também obedece ao chamado sublime que ele fez para sua vida. Se você tem família — e isso inclui ser mãe solteira —, nunca se esqueça de que manter e criar sua família para a glória de Deus é um ato espiritual que o Senhor preza muito. Além de suprir suas necessidades por você tê-lo honrado e reverenciado sua Palavra por meio do que faz por sua família, Deus a honrará da mesma forma. Deus honra aqueles que o honram (1Sm 2.30).

> *Paulo estava exortando a mulher do reino a priorizar seu lar e não dar ouvidos a outras vozes competidoras.*

Mais especificamente, Paulo vinculou o caráter da mulher do reino ao princípio espiritual da honra à Palavra de Deus. As escolhas da mulher do reino quanto a seu modo de viver transcendem a cultura e o tempo. Na verdade, ao honrar a Palavra de Deus com seus pensamentos e ações, você fecha o círculo da armadilha na qual Eva caiu no jardim. Satanás contestou deliberadamente a Palavra de Deus perante Eva quando perguntou: "Foi isto mesmo que Deus disse...?" (Gn 3.1). Foi a própria desonra à Palavra de Deus que produziu a rebelião e o pecado de Eva.

Ao honrar as Escrituras, você está revertendo o pecado no jardim e chamando as bênçãos e a paz de Deus para sua vida. A obediência a esses ensinamentos estabelecidos por Paulo é uma atitude muito espiritual, com desdobramentos igualmente espirituais.

Crônicas de Chrystal

Devo ter lido quase todos, ou todos, os livros de P. D. Eastman repetidas vezes para ensinar cada um de meus filhos quando eles se acomodavam perfeitamente em meu colo e prestavam atenção a cada palavra. *Are You My Mother?* [Você é minha mãe?] é um de nossos favoritos. Nesse livro, a mamãe passarinho está chocando seus ovos. Pouco antes de o filhote sair da casca, ela voa a fim de procurar alimento para ele. Assim que ela parte, o filhote sai da casca, e o livro inteiro conta a história do passarinho procurando a mãe — alguém que o alimente, ensine, cuide dele e o proteja.

Hoje, mulheres de todas as idades e vivências estão à procura de uma mãe — outra mulher que possa caminhar ao lado delas, discipulá-las e guiá-las nos melhores caminhos da estrada que precisam percorrer.

Assim como uma boa mãe biológica tem capacidade para cuidar dos filhos, amá-los e mostrar-lhes o caminho para uma vida produtiva, responsável e feliz, a boa mãe espiritual é necessária para proporcionar as mesmas coisas a quem está sob seus cuidados. Nossas comunidades estão repletas de mulheres que ainda são "bebês" porque:

- São novatas na fé cristã e necessitam de outras mulheres que lhes mostrem o caminho para a maturidade espiritual.
- Querem ser solteiras bem-sucedidas e precisam de outras mulheres que "já passaram por muita coisa" e podem ensinar-lhes exatamente o que isso significa e como pode ser realizado na prática.
- Carecem de conhecimento prático sobre como ser uma boa mãe para os filhos e necessitam de outras mulheres para lhes mostrar como ser uma mãe piedosa.
- Estão carregando fardos inimagináveis de doença, divórcio, problemas financeiros ou angústia emocional e necessitam de outras mulheres que cuidem delas, as amem, as ouçam e orem com elas.

E mais, na ausência da mãe espiritual recomendada em Tito 2, uma geração de mulheres está aprendendo na TV, nas revistas e em inúmeros livros de autoajuda a definição que o mundo dá à palavra *mulher*. Por isso, algumas mulheres que ainda são bebês em determinada área da vida acabam se perdendo porque não encontram uma mãe ou acabam enfrentando lutas desnecessárias, como ocorreu com o Patinho Feio, que sofreu maus-tratos e desprezo antes de se dar conta de que não pertencia ao lugar onde estava.

O que a Bíblia tem a dizer sobre esse conceito de mãe espiritual? Em Gênesis 3.20,"Adão deu à sua mulher o nome de Eva, pois ela seria mãe de toda a humanidade". Em Gênesis 17.15-16,"disse também Deus a Abraão:'De agora em diante a sua mulher já não se chamará Sarai; seu nome será Sara. Eu a abençoarei e também por meio dela darei a você um filho. Sim, eu a abençoarei e dela procederão nações e reis de povos'". Em Gênesis 24.59-60,"Despediram-se, pois, de sua irmã Rebeca [...]. E abençoaram Rebeca, dizendo-lhes: 'Que você cresça, nossa irmã, até ser milhares de milhares; e que a sua descendência conquiste as cidades dos seus inimigos'".

Com base nesses três excertos, podemos relacionar essas três mulheres de uma forma interessante. As três receberam a comissão de dar fruto antes mesmo que isso fosse fisicamente possível. O nome de Eva implicava uma expectativa de dar fruto. O nome de Sara foi *mudado* com base em uma expectativa firmada em um milagre. Rebeca recebeu a bênção da frutificação no início de sua nova vida como mulher casada — o que significa que ela teve seu nome mudado.

O que é importante aqui? Todas as vezes que a mulher tinha seu nome substituído ou mudava de identidade, ela também era chamada para dar fruto.

Uma pergunta estranha, e às vezes irritante, para a mulher recém-casada é aquela que ela recebe tão logo se casa:"Quando você vai ter um bebê?". Por que as pessoas fazem essa pergunta? Porque a mudança de identidade gera a expectativa de filhos. Romanos 7.4 diz: "Assim, meus irmãos, vocês também morreram para a Lei, por meio do Corpo de Cristo, para pertencerem a outro, àquele que ressuscitou dos mortos, a fim de que venhamos a dar fruto para Deus".

João 15.8 declara:"Meu Pai é glorificado pelo fato de vocês darem muito fruto; e assim serão meus discípulos". Minha irmã, se você é cristã, então tem uma nova identidade e foi chamada para dar fruto. E, embora isso pareça diferente para cada uma de nós, dependendo do estágio da vida no qual Deus nos colocou, o princípio é condizente com Mateus 28.10, em que recebemos o chamado para fazer discípulos.

Imagine que somos macieiras e queremos produzir a maior quantidade possível de maçãs. A melhor maneira para fazer isso não é tentar produzir mais maçãs, mas produzir mais macieiras! É para a glória de Deus que devemos fazer o possível para promover seus planos e seu reino. Um dia, porém, não estaremos mais neste mundo. Nossas "macieiras" murcharão e morrerão. A única maneira de assegurar que a visão de Deus para as mulheres seja preservada é transmiti-la a outra mulher que possa continuar a dar fruto e seja capaz de plantar sementes para o crescimento de novas "árvores". Assim como Deus determinou que todos os seres vivos deveriam se reproduzir fisicamente, ele também quer que seu povo se reproduza espiritualmente.

Assim como Deus determinou que todos os seres vivos deveriam se reproduzir fisicamente, ele também quer que seu povo se reproduza espiritualmente.

A estação na qual você se encontra determina o sabor de seu fruto, mas ela não deve determinar o nível de sua capacidade de frutificar.

Treinando discípulos

Jesus poderia facilmente ter cumprido sozinho o seu ministério aqui na terra, viajando desacompanhado enquanto pregava, curava e ensinava. Mas ele decidiu levar doze homens sob suas asas e treiná-los a levar sua mensagem depois que ele voltasse para o Pai. Os doze discípulos de Jesus foram os fundadores da igreja primitiva e treinaram outros para fazer discípulos de todas as nações. A plantação que Jesus fez do evangelho no coração de doze homens continua a dar fruto no mundo inteiro até hoje.

Então, o que Jesus fez exatamente? Como podemos aprender com seu exemplo?

Primeiro, Jesus passou *tempo* com os discípulos. Ele era acessível. João 1.37-39 relata que dois discípulos quiseram saber onde Jesus estava hospedado. "Respondeu ele: 'Venham e verão'. Então [...] viram onde ele estava hospedado e passaram com ele aquele dia".

Sei que muitas de nós temos pouco tempo para cuidar de nós mesmas, e muito menos para cuidar de outras pessoas! Estamos atarefadas, cansadas, esgotadas e estressadas. No entanto, não podemos permitir que o ritmo do mundo dite o ritmo no qual operamos — principalmente se esse ritmo interferir nas ordens de Deus para que sejamos seguidoras de Jesus.

Quando eu estava na escola, meus professores exigiam duas coisas enquanto eu treinava a escrita : 1) deixar margem à esquerda e à direita do papel; 2) pular uma linha. Eles pediam para fazer essas duas coisas por um motivo. Precisavam de espaço para escrever também! Precisavam fazer correções, apresentar sugestões e melhorar meu texto. Permita-me dizer a você que Deus quer a mesma coisa. Ele quer que você viva de tal forma que deixe espaço para ele lhe dizer como e com quem deve passar o tempo e como se expressar melhor, no sentido de se envolver com outras pessoas. Deixe margem — deixe espaço para as atividades e pessoas que Deus deseja trazer à sua vida.

Sei que você deve estar pensando: "E quanto a mim? E quanto ao meu tempo?". Repetindo, vamos analisar a vida de Cristo. Nosso Salvador encontrou tempo para se recolher e estar com o Pai. Mas o segredo aqui é que Jesus passou seu tempo livre fazendo coisas importantes para o Pai. O tempo de Jesus era limitado, e ele sabia que não poderia perder nem sequer um minuto fazendo coisas que não se referissem à eternidade. Não podemos nos dar a esse luxo também.

O texto de Salmos 62.5 adverte: "Descanse somente em Deus, ó minha alma; dele vem a minha esperança". Quando consideramos nosso tempo como se fosse dele, Deus nos diz como devemos gastá-lo e proporciona o descanso e o refrigério de que necessitamos. Não podemos nos ocupar fazendo coisas boas e depois usá-las como desculpa para não fazer as coisas melhores de Deus. Ele foi claro em sua Palavra sobre quais são essas coisas melhores.

Segundo, Jesus *treinou* os discípulos. Em Lucas 11, os discípulos pediram a Jesus que os ensinasse a orar, e Jesus exemplificou como a oração deveria ser. Para quem você é exemplo? De tudo o que você aprendeu ou sofreu, o que pode servir para ensinar outra mulher, para que ela não tenha de aprender pelo meio mais difícil?

> *Não podemos nos ocupar fazendo coisas boas e depois usá-las como desculpa para não fazer as coisas melhores de Deus.*

Mãe, você está treinando seus filhos? A criação de filhos é uma missão proposital e intencional. Não acontece por osmose quando você os envia à escola bíblica dominical. No livro *Professionalizing Motherhood* [Profissionalizando a função de mãe], Jill Savage desafia as mães a assumirem o emprego de criar os filhos de modo tão sério quanto qualquer outro trabalho remunerado. Ela diz que, ao fazer isso, as mães têm o poder de causar um impacto extraordinário nos filhos para o reino de Deus.

Se você é uma mulher madura que se sente feliz por ser aposentada ou livre, isso não lhe tira o direito de treinar outras mulheres e ser exemplo para elas. O que você critica nas mulheres mais jovens no que se refere a comportamento, atitude ou vestimentas? Você é exemplo de conduta e disposição de uma mulher que ama a Jesus? Tem uma palavra de encorajamento para as mulheres mais jovens em sua esfera de influência? Treinar e ser exemplo não são atos de julgamento ou crítica, mas ações destinadas a alcançar o coração de outra pessoa e levá-la carinhosamente a um lugar mais alto em Cristo.

Você é uma mulher bem-sucedida em seu local de trabalho? Como compartilha sua sabedoria e experiência com as outras pessoas com quem trabalha, a fim de que usem seus dons, talentos e habilidades para a glória de Deus? O que você aprendeu sobre descobrir e desenvolver suas forças e maximizar seu potencial?

As possibilidades são infinitas. Toda mulher aprendeu algo, não importa até que ponto da estrada ela chegou. A pergunta não é se existe alguém que você possa discipular, treinar ou para quem possa servir de exemplo. Você precisa parar e perguntar a Deus quem é essa pessoa!

O que o Senhor lhe traz à mente enquanto você está lendo este livro neste momento? Uma pessoa da família, uma mulher mais nova, uma amiga ou uma criança? Que conexão Deus está lhe pedindo para fazer?

Por último, Jesus *serviu* aos discípulos. João 13.5 conta a história de como Jesus, o Filho do Deus vivo, parte da Santa Trindade, lavou os pés daqueles que o seguiam. Jesus não levou em conta quem ele era, de onde veio, que posição ocupava e o que outros lhe deviam. Ele serviu porque, ao fazer isso, ilustrou o maior ato de verdadeira maturidade — a disposição de se tornar acessível aos outros. Jesus, o mesmo que está sentado à direita de Deus, humilhou-se e fez o que não precisava fazer.

Jesus realizou algo aparentemente insignificante quando lavou os pés dos discípulos, mas foi esse mesmo espírito de humildade que o capacitou a suportar todo o fardo na cruz. Jesus não carregou o próprio fardo: ele se dispôs a carregar o fardo de outras pessoas que não mereciam seu sacrifício. E, ao fazer isso, ele mostrou a muitas pessoas o amor do Deus Pai.

Então, você é mãe espiritual de quem? (Essa pergunta vale principalmente em relação à sua igreja.) Em que aspectos de suas atividades diárias você está aplicando as palavras das Escrituras? Todo dia nascem mulheres na igreja. São novatas na fé cristã, novatas no casamento, novatas como mães solteiras, novatas por ter voltado à condição de solteiras, novatas em uma segunda carreira profissional, novatas na criação de filhos, novatas na vida espiritual, novatas na igreja. Muitas estão perguntando: "Você é minha mãe?". Querem saber se você encontrará tempo para discipulá-las, treiná-las, servi-las e aproximá-las do Senhor.

Você deve estar perguntando o que as mães espirituais e o aconselhamento de Tito 2 têm a ver com a igreja local. Uma das formas usadas em nossa igreja é proporcionar uma estrutura de aconselhamento por meio de pequenos grupos. As mulheres se reúnem duas vezes por mês para confraternização e encorajamento enquanto discutem a aplicação da verdade com base no sermão

Outra forma que usamos para incentivar a comunhão e a confraternização é por meio de classes especiais organizadas para atender às necessidades das mulheres. Algumas dessas classes dão maior atenção a uma fase da vida, como educação dos filhos, casamento ou a melhor maneira de se tornar uma mulher piedosa. Outras classes se concentram na cura e na recuperação de situações complicadas, como vícios, problemas emocionais ou dívidas. Embora durem apenas determinado período de tempo, essas classes proporcionam uma oportunidade para as mulheres se enturmarem com outras que estão trilhando a mesma estrada que elas.

Nessas classes, as mulheres compartilham com outras os benefícios de usar seus dons (cabeleireiras, cozinheiras, organizadoras etc.). A igreja é um lugar maravilhoso, onde você pode usar os dons que Deus lhe deu! Às vezes, é necessário ser criativa ou descobrir novas formas de usar suas experiências e conhecimentos na vida para impactar outras pessoas, fortalecer a igreja ou promover o reino. Deus lhe concedeu dons específicos para serem usados para os propósitos dele na igreja. É muito importante usar seus dons e experiências para dar uma injeção de ânimo na igreja.

Por último, as mulheres encontram tempo para se divertir juntas nos eventos femininos realizados durante o ano. Nossa reunião anual de mulheres é um desses eventos; nela é traçada a programação do ministério de mulheres para o ano seguinte. Além dessa reunião, há os "Supersábados de Tito 2", nos quais as mulheres se juntam duas vezes por ano para um dia inteiro de confraternização, incluindo assembleia geral, momentos de bate-papo e sessões sobre vários tópicos, interesses comuns, passatempos e fases da vida. E elas sempre reservam um tempo para *recreação*! Os passeios e as reuniões ajudam as mulheres a se conhecerem melhor e a ter boa convivência, sabendo que nenhuma mulher na igreja está sozinha.

O ministério da mulher do reino

Tenha em mente que ministrar e amar uns aos outros com os dons e talentos que Deus lhe deu são ações que devem ultrapassar as paredes da igreja. Um bom começo é ajudar crianças carentes. As crianças que hoje vivem em um núcleo familiar são minoria. Dar-se ao "luxo" de ter pai e mãe em casa não é uma realidade para a maioria dos pequenos. Pais e mães solteiros precisam trabalhar em dois empregos para pagar as contas e não podem ficar em casa como gostariam. Essa ausência dos pais para orientar os filhos deixa um espaço vazio na vida emocional e espiritual deles.

Uma das maneiras pelas quais você, mulher do reino, pode causar impacto na sociedade é estender o trabalho de sua igreja, firmando parcerias com escolas públicas onde possa ser realizado. Isso inclui aconselhar, orientar ou proporcionar outra forma de serviço de amparo às famílias. A National Church Adopt-a-School Initiative [Projeto Adote uma Escola] treina igrejas e líderes de igrejas para levarem adiante esse exemplo missionário local. Trata-se de uma estratégia gradativa para maximizar os dons e talentos do corpo de Cristo e potencializá-los para o reino.

Toda mulher do reino precisa ministrar a outra mulher por meio de sua igreja. Para entender o significado do discipulado, é preciso haver oração e orientação de Deus. Sua tarefa é recorrer ao Senhor em busca de sabedoria para descobrir se o que você recebeu, experimentou ou suportou na vida seria uma bênção para outra pessoa. Se necessita de discipulado, sua tarefa é orar a Deus para que ele lhe mostre uma mulher capaz de falar da vida dela com você e ajudá-la a crescer na fé, para que você experimente todas as possibilidades que Deus planejou para sua vida.

Toda mulher do reino precisa ministrar a outra mulher por meio de sua igreja.

12

A MULHER DO REINO E SUA COMUNIDADE

O ano era 1955; o local, Montgomery, Alabama. O ambiente exalava o cheiro tóxico do veneno racial predominantemente manifestado na segregação sulista liderada por Jim Crow. Embora apenas alguns centímetros separassem a fileira onze da área dos assentos reservados aos brancos no ônibus dirigido por James F. Blake, aquilo representava o abismo que existia entre igualdade e justiça vividas por cidadãos brancos e negros naquela época.

Sentada na fileira onze estava uma mulher discreta, introvertida, mas determinadamente forte, chamada Rosa Parks. Um homem branco entrou no ônibus, e o motorista — um homem que havia pegado o dinheiro de Rosa e acelerado antes que ela tivesse tempo de subir pela entrada dos fundos do ônibus — tentou humilhá-la mais uma vez. Rosa reconheceu seu rosto quando ele se virou para dizer a ela que se levantasse para dar lugar ao branco. Quem esqueceria aqueles olhos, frios como aço e desprovidos de sentimento?

Pouco antes naquele ano, Rosa frequentara um curso sobre injustiça econômica e social, no qual foi discutido o conceito de protesto não violento. No entanto, como investigadora principal designada para casos de abuso sexual cometidos por brancos contra negras durante a década anterior — incluindo o abominável estupro de Recy Taylor por uma gangue —, Rosa sabia muito bem o que a desobediência àquela ordem acarretaria. Ela tinha todo o direito de se autopreservar e sair do lugar.

Mesmo assim, conforme Rosa comentou mais tarde, a lembrança do brutal assassinato do jovem negro Emmett Till nas mãos de homens brancos voltou-lhe com força à mente quando James F. Blake ordenou que ela se levantasse. E, em razão disso, Rosa não se levantou, apesar do risco que corria.

E assim Rosa Parks continuou sentada na fileira onze.

Dizem que as ações falam mais alto que as palavras, e que é possível saber exatamente em que a pessoa acredita se observamos o que ela faz. Os lábios de Rosa nunca deram uma explicação para o homem branco em pé ao lado dela, com ares de dono do mundo, esperando para sentar. Mas as ações daquela mulher de 42 anos falaram tão alto que a nação inteira ouviu.[1]

Essa decisão simples, porém extrema, de se recusar a ceder o lugar a um homem branco que o exigira, para não mais aceitar a indignidade de ser uma cidadã de segunda classe e proclamar seu valor e direito como filha de Deus, alterou para sempre a história dos Estados Unidos. Esse único ato fez nascer e amadurecer o Movimento dos Direitos Civis conforme o conhecemos, melhorando a vida de um sem-número de pessoas, tão somente porque Rosa decidiu manter e conservar sua dignidade.

> *O destino da mulher do reino ultrapassa os limites de sua casa.*

Rosa e Raymond, seu marido, não tiveram filhos biológicos. No entanto, ela será sempre lembrada como mãe do Movimento pela Liberdade. Ela tem uma multidão de filhos. Sua influência foi intensa, e seu legado, muito importante.

Como mulher do reino, você foi chamada para cuidar de si, amparar sua família, criar seus filhos e honrar seu marido, mas foi chamada também para causar um grande impacto para o reino de Deus. Você não deve negar os outros propósitos de sua vida, mas não deve se limitar a eles. O destino da mulher do reino ultrapassa os limites de sua casa. Ela deixa um legado para sua comunidade e, possivelmente, para seu país e o mundo.

Ester

Da mesma forma que escolheu uma mulher chamada Rosa para pôr em ação a maior mudança cultural registrada na história dos Estados Unidos, Deus usou as mulheres da Bíblia para causar impacto na comunidade em que viviam e também em sua nação. Uma delas foi Ester.

Ester era uma diva. No livro que leva seu nome, ela é descrita como uma mulher "atraente e muito bonita" (2.7). Seu nome significa "estrela". Seja qual for a carga genética responsável por gerar essa mulher do reino, isso definitivamente trabalhou em seu favor.

Apesar das bênçãos constitutivas de Ester, ela enfrentou muitos obstáculos externos. Órfã desde criança, foi criada por seu tio Mardoqueu. Morando como raça minoritária em uma terra estranha, sem muito dinheiro no nome deles, Ester e Mardoqueu enfrentaram dificuldades terríveis por terem sempre de vencer os preconceitos persas.

Ester, porém, venceu esses preconceitos com sua própria experiência de Cinderela e o sapatinho de cristal. Tendo conquistado o coração do rei por meio de um longo processo de seleção da próxima rainha (depois que o rei Xerxes baniu a rainha Vasti de sua posição), Ester obteve a honra de ser chamada nova rainha da Pérsia.

Em palavras mais simples, nossa menina Ester estava subindo na vida.

Logo depois de ter chegado à realeza, Ester enfrentou um dilema. Seu povo seria aniquilado pelo malvado Hamã por meio de um decreto legal e irreversível que o marido dela, o rei, havia assinado. Ester logo descobriu, após uma explicação dada por seu tio Mardoqueu, que ela chegara à posição de rainha "para um momento como este" (4.14).

Depois da hesitação inicial de Ester quanto a arriscar a vida em favor de seu povo, Mardoqueu lhe explicou que, se ela não assumisse uma posição, Deus escolheria outra pessoa para libertar seu povo. Ester guardou as palavras de Mardoqueu no coração, pediu aos que a rodeavam que jejuassem e orassem por três dias e aproximou-se do rei para buscar seu favor, correndo o risco de perder a vida.

Para quem não conhece a história, o rei estendeu seu cetro de ouro, a vida de Ester foi preservada e ela conquistou para seu povo, os israelitas, o direito de se defender contra o extermínio. Em consequência disso, os israelitas pegaram as armas, não apenas para defender-se, mas também para derrotar os agressores. E Hamã foi dependurado na mesma forca que construíra para Mardoqueu.

A valentia e a coragem de Ester, bem como sua posição de influência, fizeram dela uma mulher de grande valor do reino. Sozinha, ela garantiu o direito de salvar um grupo inteiro de pessoas.

Embora essa história tenha ocorrido há muito tempo em um reino bem distante, os princípios da vida de Ester são tão importantes quanto seriam se tais eventos ocorressem hoje. Você já parou para pensar que Deus talvez a tenha colocado aqui em seu reino "para um momento como este"? Já pensou nas possibilidades de ter, por meio de Cristo, um poder tão grande a ponto de causar impacto em sua família, igreja, comunidade e, possivelmente, em seu país?

Você já parou para pensar que Deus talvez a tenha colocado aqui em seu reino "para um momento como este"?

O reino de Deus inclui sua ordem, seus propósitos e seus planos. Há um princípio dominante no reino: você é abençoada para ser uma bênção. É libertada para libertar. É redimida para redimir.

Talvez você tenha sido abençoada com uma excelente educação, uma aparência física favorável ou até uma boa vida. Seja o que for que Deus lhe concedeu — talento, dom ou capacidade única na vida — ele fez isso intencionalmente. Além de acumular suas bênçãos, você pode usar a posição que ele lhe deu para cumprir seus propósitos na vida das pessoas ao redor.

Crônicas de Chrystal

A mulher samaritana ficou pasma quando Jesus falou diretamente com ela. E não foi sem razão. Naquela época, os judeus não se davam com os samaritanos. Estes eram raça inferior, desprezados, cidadãos de segunda classe. Em João 4.9, essa mulher diz: "Como o senhor, sendo judeu, pede a mim, uma samaritana, água para beber?".

Os samaritanos não eram considerados antepassados "puros". Não eram tidos como descendentes verdadeiros dos patriarcas judeus. Diziam que se tratava de uma raça resultante do casamento de hebreus com assírios depois que a Assíria invadiu e conquistou o reino do norte de Israel, por volta de 721 a.C. Eram um grupo de pessoas sem honra, tanto em termos raciais como em sentido espiritual. Eram indignos, insignificantes e sem valor para aqueles que se consideravam "judeus verdadeiros", o povo com direito a uma herança sagrada.

A mulher à beira do poço tinha duas desvantagens: era samaritana e, bem, era mulher! Não era permitido que um homem judeu conversasse com uma mulher em público. E mais, suspeitava-se que ela não fosse muito respeitada em sua comunidade.

A samaritana foi tirar água do poço ao meio-dia (Jo 4.6). Era a hora mais quente, pelo que entendemos que ela escolheu aquela ocasião para não se encontrar com a maioria das outras mulheres que também tiravam água do poço. A samaritana não queria se misturar com pessoas que poderiam desprezá-la ou ridicularizá-la. Ela não se enquadrava nos padrões dos judeus. Nem sequer se enquadrava nos padrões de sua comunidade. Era uma rejeitada.

E Jesus falou com ela.

Pediu-lhe um pouco de água. Convidou-a para uma conversa, um diálogo, uma discussão sobre uma dádiva que estava disponível — até mesmo para ela.

Depois, ofereceu-lhe água viva. Água que a satisfaria plenamente. Água vinda do homem que conhecia a vida impura que ela levava e queria entregar-lhe uma dádiva de Deus.

E a samaritana queria tal dádiva. "Senhor, dê-me dessa água, para que eu não tenha mais sede, nem precise voltar aqui para tirar água" (v. 15). Queria tanto aquela água viva que se dispôs a permitir que Jesus comentasse seu modo de vida (v. 16-19). Desejava tanto aquela água viva que procurou entender a diferença entre religião e relacionamento pessoal com Cristo (v. 20-26). A mulher necessitava tanto da água viva que, sem refletir, deixou o cântaro à beira do poço e correu para contar ao povo de sua cidade sobre aquele homem que lhe oferecera vida (v. 28-30). E o povo da cidade acreditou. Acreditou na mulher que carregava a marca da rejeição. Em primeiro lugar, eles creram por causa da palavra dela (v. 39); depois, porque tiveram uma experiência própria com Jesus (v. 42).

Deus usou a mulher de Samaria para impactar uma comunidade inteira. Ela causou um impacto duplo: evangelístico e social. Influenciou socialmente sua comunidade, pois se tornou o meio para reunir dois grupos raciais diferentes e que não tinham nenhuma ligação. Isso foi tão eficiente que Jesus passou o fim de semana com os samaritanos. Ela foi a porta por meio da qual Jesus chegou à comunidade de Samaria e permaneceu com o povo de lá. Embora ela tivesse um passado duvidoso, Deus a usou para influenciar a vida dos que a rodeavam, o que mostra que o Senhor pode, e quer, usar qualquer pessoa para os propósitos de seu reino, bastando que essa pessoa aceite sua verdade.

A mulher do reino não é uma mulher perfeita. É uma mulher perdoada. É uma mulher que foi amada pelo Mestre apesar de seu passado, suas fraquezas ou suas lutas. Ela é corajosa. É uma mulher que, por não ter nada a perder, arrisca tudo para levar os outros ao Doador da Vida.

A mulher do reino não se limita a permanecer dentro das linhas raciais, socioeconômicas e culturais traçadas pela sociedade. Jesus foi buscá-la no grande abismo criado pelo pecado; por isso, ela está disposta a buscar outras pessoas e oferecer a elas a palavra de seu testemunho.

Ela é uma mulher que reconhece a própria depravação porque esteve à beira do abismo, caiu no abismo ou chafurdou na lama. Ela se surpreende ao ver que Jesus se desvia de seu caminho para conhecê-la pelo nome. E o espanto pelo fato de Jesus não tê-la considerado muito desprezível ou indigna da salvação levou-a a ser grata.

> *A mulher do reino não é uma mulher perfeita. É uma mulher perdoada.*

A mulher do reino é aquela que está disposta a abandonar seus objetivos, planos e situações para obedecer ao que Deus diz. Está disposta a deixar o cântaro à beira do poço e agir.

Minha irmã, o tempo é agora. As pessoas de sua comunidade necessitam de você agora. Seus vizinhos necessitam de você agora. A pessoa que se senta a seu lado no trabalho necessita de você agora. Não estou falando de perfeição. Deus usa pessoas imperfeitas. Não estou falando de ter tudo em ordem. Deus quer ajudá-la a fazer isso. Não estou falando de ser superespiritual ou sem pecado. Jesus Cristo cobriu nossas transgressões com sangue e com seu sacrifício por você e por mim na cruz.

O tempo é agora. Não há ocasião melhor para responder ao chamado de Deus para sua vida que agora. Você não precisa esperar até ter uma família perfeita ou um salário justo. Não se exige santidade espiritual. Não importa se seus filhos são pequenos ou se você precisa perder peso. As divisões denominacionais não são desculpa para negar o amor de Deus aos outros. A educação que você teve não é motivo para deixar de alcançar ou tocar outra pessoa e compartilhar com ela o que você recebeu. Os ponteiros do relógio estão girando.

Você é mais que seu passado, que a profundidade de seu sofrimento ou que o número de seus problemas. Você é quem Deus diz que você é. Pode fazer o que Deus diz que você pode fazer. Possui aquilo que ele diz que pode possuir.

Tenha coragem.

Quanto mais você se apegar a seu cântaro, com medo de como conseguirá manter o anonimato ou o autorrespeito, menos tempo terá para contar sua vida e sua história às pessoas que precisam conhecer Jesus para ser salvas. Há gente morrendo e precisando que você corra à cidade para contar o que Deus fez no passado e o que está fazendo por você agora.

A samaritana não tinha tudo o que desejava, mas conheceu um homem que tinha. Jesus lhe ofereceu um caminho para isso. Bastava confiar nele.

Deus quer usar você. Sim, *você*. Seu testemunho, esse mesmo que você tenta esconder, pode ser a chave para alguém de sua comunidade conhecer a Cristo — sua bondade, misericórdia e poder.

Débora

O ano era aproximadamente 1050 a.C. O local, debaixo de uma tamareira plantada nos montes de Efraim, entre Ramá e Betel. Era uma época em que todo homem e toda mulher faziam o que lhes parecia certo. O humanismo tomara conta em nome do culto a Baal, enquanto o Deus verdadeiro havia sido marginalizado.

Depois dos reinados corajosos de Josué e dos primeiros três juízes — Otoniel, Eúde e Sangar —, Israel mais uma vez deixou de seguir os mandamentos divinos e começou a adorar ídolos. Em consequência disso, Deus entregou os israelitas nas mãos das nações pagãs vizinhas. Ele fez isso a fim de trazer seu povo de volta e, para tanto, permitiu que Jabim, rei de Canaã, e Sísera, seu general perverso, oprimisse os judeus por vinte anos. Foi durante esse período que Deus designou uma mulher chamada Débora para servir aos israelitas de uma forma única e especial. Além de ser a primeira juíza em Israel, ela recebeu de Deus o dom de profetizar.

Como juíza, Débora tomava decisões nas disputas entre os israelitas. Passou a ser conhecida como juíza sábia, e muitas pessoas a procuravam e vinham de longe para encontrar-se com ela debaixo da tamareira que levava seu nome.

Como profetisa, Débora tinha capacidade de discernir a mente e os propósitos de Deus e transmiti-los ao povo. Conforme seu nome indica (*Débora* significa "abelha"), ela foi uma mulher que conduziu as pessoas sob sua influência com sabedoria doce como mel, mas possuía um ferrão mortal para aqueles que procuravam subjugar seu povo, os judeus.

Ninguém sabe por que Débora escolheu como tribunal o local debaixo da tamareira, onde ela resolvia as disputas como juíza. Alguns especulam que, por ser mulher, não seria culturalmente certo ela se encontrar com homens em ambientes fechados. Seja qual for o motivo, Débora se tornou uma profetisa e juíza muito procurada e respeitada, cujas decisões verbalizavam o que se passava no coração de Deus.

Era ali, ao ar livre, que Débora também advertia os israelitas das consequências de adorar ídolos e insistia com eles para que voltassem a servir a Deus. Assim que um número cada vez maior de israelitas começou a responder aos chamados insistentes de Débora e voltou a seguir a Deus, o Senhor instruiu Débora a enfrentar o perverso rei cananeu e seu general na batalha. Ela então convocou um homem chamado Baraque, comandante do exército israelita e um levita, e deu-lhe esta instrução:

> O Senhor, o Deus de Israel, lhe ordena que reúna dez mil homens de Naftali e Zebulom e vá ao monte Tabor. Ele fará que Sísera, o comandante do exército de Jabim, vá atacá-lo, com seus carros de guerra e tropas, junto ao rio Quisom, e os entregará em suas mãos.
>
> Juízes 4.6-7

Baraque também era profeta, por pertencer à tribo de Levi. A sabedoria de Débora levou-a a reconhecer que a batalha contra Sísera não seria apenas uma luta física; era também um combate espiritual. Débora sabia que, para vencer uma batalha espiritual, a luta deveria ser travada no campo espiritual. Portanto, ela convocou Baraque para representar os israelitas como seu sacerdote. Na cultura judaica, as mulheres podiam ocupar altas posições de liderança dentro do governo, até na esfera espiritual como profetisas, mas não podiam ser sacerdotisas. Débora sabia que, para vencer uma batalha espiritual, a luta precisava ser vencida nos céus.

Débora sabia que, para vencer uma batalha espiritual, a luta deveria ser travada no campo espiritual.

Contudo, houve um tempo na história israelita em que parecia haver poucos homens vivendo como homens do reino, por isso até o sacerdote a quem Débora pediu que comandasse a batalha hesitou sob a pressão de lutar contra forças poderosas. Diante da ostentação dos cananeus, com seus novecentos carros de ferro e um número muito maior de soldados que o que os israelitas conseguiriam reunir, a batalha seria vencida — pelo menos na teoria — pelos cananeus. Débora recebera a palavra de Deus de que a vitória pertencia aos israelitas, de modo que ela teve fé no desfecho. Baraque, no entanto, não demonstrou a mesma fé e replicou hesitante: "Se você for comigo, irei; mas se não for, não irei" (Jz 4.8). Em resumo, ele não estava disposto a ser um homem do reino.

Ao ver tal falta de fé, Débora informou a Baraque que a honra de derrotar Sísera não mais pertenceria a ele, mas a uma mulher (v. 9).

Débora acompanhou Baraque a Quedes, onde os exércitos marchariam para a batalha. Quando eles começaram a marchar, Deus provocou uma grande confusão no meio dos cananeus, derramando chuvas torrenciais, até que "todo o exército de Sísera caiu ao fio da espada; não sobrou um só homem" (v. 16).

Não sobrou um só homem, exceto o próprio Sísera, que conseguiu fugir a pé, acabando por se esconder na tenda de Héber, o queneu fabricante de tendas. Jael, mulher de Héber, abrigou Sísera em sua tenda e prometeu dar-lhe descanso e água.

Jael cumpriu a promessa da água e ofereceu leite para Sísera beber. E cumpriu também a promessa do descanso. Deixou-o adormecer profundamente. Depois, ela pegou uma estaca da tenda e cravou-a na têmpora de Sísera, pondo um fim às ações cruéis de um dos mais temidos generais cananeus de todos os tempos.

Uma mulher conduziu o exército israelita à batalha depois de profetizar sua vitória, e outra mulher terminou o trabalho de derrotar o adversário, tirando a vida do perverso general Sísera. Tanto Débora como Jael foram mulheres do reino cuja coragem as capacitou a conduzir Israel a um período de paz e renovação espiritual.

Naquela batalha, Débora protegeu seus filhos espirituais (a nação de Israel) da desgraça e da opressão (proteção física), da desgraça do culto a Baal e da adoração de ídolos (proteção espiritual). Ela os conduziu a um período de libertação física e espiritual. De todos os juízes, Débora é a única mencionada como alguém que julgou e profetizou. Ela recebeu um chamado único que resultou na vitória de seu povo e em quarenta anos de descanso para Israel.

Os relatos históricos de Débora e Israel mostram que Deus escolhe mulheres para proclamar seu reino na terra, particularmente quando os homens deixam de assumir a posição de liderança no campo que o Senhor lhes destinou.

Da mesma forma que Rosa Parks, Débora e seu marido, Lapidote, não tiveram filhos biológicos, mas Débora deixou um legado formal como mãe de Israel (5.7).

Mulheres, vocês receberam um chamado sublime com um propósito sublime. Deus lhes concedeu o poder de realizar tarefas extraordinárias, capazes de mudar uma nação inteira. Infelizmente, muitas mulheres de hoje não conseguem enxergar nada além de sua vida pessoal. Talvez a explicação seja esta: elas estão muito atarefadas e distraídas fazendo coisas "boas" como Marta. Não tenho certeza. Mas de uma coisa eu sei: lemos na Bíblia que Deus distingue funções de cargos, mas, ao revelar sua verdade, ele não faz distinção entre homens e mulheres. Deus capacita e chama homens e mulheres para proclamar seu reino na terra.

Ao revelar sua verdade, Deus não faz distinção entre homens e mulheres.

Em outra viagem a Nova York com minha mulher, visitei uma das lojas Macy's. Do lado de fora da loja, havia vitrinas com fileiras de manequins para atrair a atenção das pessoas e convidá-las a entrar. Naquele dia em particular, notamos uma aglomeração diante das vitrinas. Decidimos, então, ver o que estava acontecendo. Quando chegamos mais perto, parecia que as manequins estavam piscando os olhos. Depois de observar mais atentamente, percebemos que se tratava de modelos vivos que posavam como manequins na tentativa de direcionar a atenção do povo para o reino que elas representavam: a Macy's.

Quando as pessoas começaram a perceber que se tratava de modelos vivos, começaram a mexer as mãos e a fazer caretas para tirá-las da posição em que se encontravam. Os adultos faziam todos os tipos de contorções para perturbar as modelos. Elas, no entanto, permaneceram firmes no propósito que assumiram, despertando a curiosidade de muitas pessoas que entraram na loja, seduzidas pelo atrativo. As modelos conseguiram cumprir seu propósito porque não se deixaram levar pela comoção. A função delas era causar impacto nas pessoas que passavam por ali, e não ser impactadas por elas.

Como mulher do reino, você representa um Rei de outro reino que a colocou aqui na terra como uma antecipação de tudo o que ele oferece e é capaz de suprir. Sua missão é causar impacto em sua família, igreja, comunidade e mundo — isto é, em todos os que passam perto de você — em vez de ser impactada por eles. Há muitas vozes tentando distraí-la, e muitas dessas vozes são positivas, mas Deus lhe deu um propósito: ser representante dele e de seu reino na terra.

Como no caso de Rosa Parks, você terá de correr riscos. Como no caso de Ester, você precisará manter o foco. Como no caso da samaritana, você precisará ter coragem. Como no caso de Débora, você precisará ter fé. E como no caso de todas elas, o fruto produzirá um legado resultante do poder da graça de Deus e digno do nome de Cristo.

Mulheres, não se esqueçam de que foi uma mulher do reino que causou o maior impacto na história da humanidade. Maria deu à luz o Salvador do mundo, que oferece o caminho da redenção a todos os que invocam seu nome e creem nele. Maria, jovem e sem a ajuda de ninguém, preferiu a fé ao medo quando proclamou corajosamente ao ouvir a mensagem de Deus para sua vida: "Sou serva do Senhor; que aconteça comigo conforme a tua palavra" (Lc 1.38).

Foi uma mulher do reino que causou o maior impacto na história da humanidade.

Que essa seja também a sua proclamação do reino. E, então, relaxe e pense nas maravilhas que Deus fará a você e por seu intermédio.

Notas

Introdução

[1] Citada por Donald WIGAL em *The Wisdom of Eleanor Roosevelt* (Nova York: Kensington, 2003), p. 86.
[2] *A Room of One's Own* (Peterborough, Ontario: Broadview Press, 2001), p. 59.
[3] Adam LOONEY e Michael GREENSTONE. "Women in the Workforce: Is Wage Stagnation Catching Up to Them Too?", *The Hamilton Project*, abr. de 2011, disponível em: <http://www.hamiltonproject.org/files/downloads_and_links/03_jobs_women.pdf>; e Liza MUNDY, "Women, Money and Power", *Time*, 26 de mar. de 2012, disponível em: <http://www.time.com/time/magazine/article/0,9171,2109140,00.html?pcd=pw-op>. Acessos em: 27 de jun. de 2016.
[4] Women's Philanthropy Institute, "Boomer Women Give More to Charity, New Study Finds", Center on Philanthropy, 22 de ago. de 2012, disponível em: <http://ejewishphilanthropy.com/wordpress/wp-content/uploads/2012/08/women_give_2012.pdf>. Acesso em: 27 de jun. de 2016.
[5] Bruno MARS, "Grenade", *Doo-Wops and Hooligans* (CD), Elektra--Asylum, 2010.

[6] Bryan ADAMS, "(Everything I Do) I Do It for You", trilha sonora de *Robin Hood: Prince of Thieves*, Shout! Factory, 1991.

[7] "When a Man Loves a Woman", *Ultimate Collection* (CD), Atlantic, 1990.

[8] Jay BOICE e Aaron BYCOFFE. "Olympic Medal Count 2012: Standings Table of London Games Totals by Nation, Type of Medal", *The Huffington Post*, 8 de ago. de 2012, disponível em: <http://www.huffingtonpost.com/2012/08/08/olympic-medal count-2012-standings_n_1756771.html>; e Timothy RAPP, "Olympic Medal Count 2012: US Women Stole the Show in London", BleachReport.com, 13 de ago. de 2012, disponível em: <http://bleacherreport.com/articles/1294747-olympic-medal-count-2012-us-women-stole-the-show-in-london>. Acessos em: 27 de jun. de 2016.

[9] Em discurso intitulado "Ain't a Woman?" ["Não sou uma mulher?"], proferido em 1851 à Women's Rights Convention, Akron, Ohio, Sojourner Truth Institute, disponível em: <http://www.sojournertruth.org/Library/Speeches/AintIAWoman.htm>. Acesso em: 27 de jun. de 2016.

[10] Bruce REDFORD, ed., *Letters of Samuel Johnson: 1731-1772* (Princeton, NJ: Princeton University Press, 1994), vol. 1, p. 228.

[11] *Strong's Concordance*, verbete hebraico 3335 *yatsar*, disponível em: <http://biblesuite.com/hebrew/3335.htm>. Acesso em: 27 de jun. de 2016.

[12] Idem, verbete hebraico 1129 *banah*, disponível em: <http://biblesuite.com/hebrew/1129.htm>. Acesso em: 27 de jun. de 2016.

[13] "Speech at Lewistown, Illinois, August 17, 1858", *Lincoln Speeches* (Nova York: Penguin, 2012).

[14] *Bible Suite, Multi-Version Concordance*, verbete *church*, disponível em: <http://biblehub.com/topical/c/church.htm#cnc>. Acesso em: 27 de jun. de 2016.

[15] Idem, verbete *kingdom*, disponível em: <http://biblehub.com/topical/k/kingdom.htm#cnc>. Acesso em: 27 de jun. de 2016.

[16] *Strong's Concordance*, verbete grego 932 *basileia*, disponível em: <http://biblesuite.com/greek/932.htm>. Acesso em: 27 de jun. de 2016.

[17] Tony Evans, *The Kingdom Agenda* (Chicago: Moody, 2006), p. 27.

[18] *Strong's Concordance*, verbete hebraico 3068 *Yhvh*, disponível em: <http://biblesuite.com/hebrew/3068.htm>. Acesso em: 27 de jun. de 2016.

[19] Idem, verbete hebraico 5828 *ezer*, disponível em: <http://biblesuite.com/hebrew/5828.htm>. Acesso em: 27 de jun. de 2016.

[20] Idem, verbete hebraico 5048 *neged*, disponível em: <http://biblesuite.com/hebrew/5048.htm>. Acesso em: 27 de jun. de 2016.

[21] *Farewell to God* (Toronto: McClelland and Stewart, 1996).

[22] Citado em *Reader's Digest*, set. de 1940, 37:84.

Capítulo 3

[1] Allan R. Gold, "Garbage Collectors Threaten a Strike in New York", *The New York Times*, 28 de nov. de 1990, disponível em: <http://www.nytimes.com/1990/11/28/nyregion/garbage-collectors-threaten-a-strike-in-new-york.html>; e Sewell Chan, "Manhattan: Garbage Strike Ends", *The New York Times*, 6 de ago. de 2006, disponível em: <http://nytimes.com/2006/08/03/nyregion/03mbrfs-001.html>. Acesso em: 27 de jun. de 2016.

Capítulo 4

[1] The Pew Forum on Religion and Public Life, *US Religions Landscape Survey*, "The Stronger Sex — Spiritually Speaking". Pew Research Center, 26 de fev. de 2009, disponível em: <http://pewforum.org/The-Stronger-Sex----Spiritually-Speaking.aspx>. Acesso em: 27 de jun. de 2016.

[2] *Strong's Concordance*, verbete grego 3056 *logos*, disponível em: <http://biblesuite.com/greek/3056.htm>. Acesso em: 27 de jun. de 2016.

[3] Idem, verbete grego 4487 *rhema*, disponível em: <http://biblesuite.com/greek/4487.htm>. Acesso em: 27 de jun. de 2016.

[4] Autor desconhecido, embora seja atribuído ao Dr. Seuss. Para mais informações, ver William H. SHEPHERD, *Without a Net: Preaching in the Paperless Pulpit* (Lima, OH: CSS Publishing, 2004), p. 164-165.

Capítulo 5

[1] Darrel BOCK, *Baker Exegetical Commentary on the New Testament* (Grand Rapids, MI: Baker Academic, 1994), p. 607-608.

Capítulo 6

[1] William LAW, *The Works of the Reverend William Law* (Londres: J. Richardson, 1762), p. 74.

Capítulo 7

[1] *Strong's Concordance*, verbete hebraico 1136 *chesed*, disponível em: <http://biblesuite.com/hebrew/1136.htm>. Acesso em: 27 de jun. de 2016.

[2] Aline REYNOLDS, "One Survivor from 9/11 Returns Home, for Good", *Downtown Express*, 29 de dez. de 2010, disponível em: <http://www.downtownexpress.com/de_401/onesurvivor.html>; e Associated Press, "9/11 'Survivor Tree' Blossoms at Start of Spring", NBC New York, 20 de mar. de 2012, disponível em: <http://www.nbcnewyork.com/news/local/911-Survivor-Tree-World-Trade-Center-Pear-Tree-Ground-Zero-Blossoms-Spring-143548806.html>. Acessos em: 27 de jun. de 2016.

Capítulo 8

[1] *Strong's Concordance*, verbete grego 5299 *hypopiazo*, disponível em: <http://biblesuite.com/greek/5299.htm>. Acesso em: 27 de jun. de 2016.

Capítulo 9

[1] Corrie ten BOOM, John SHERRILL e Elizabeth SHERRILL, *The Hiding Place* (Peabody, MA: Hendrickson, 1971 [publicado no

Brasil como *O refúgio secreto*, Belo Horizonte: Betânia, 2000]), p. 240.
2. Michael ZIGARELLI. "Distracted from God: A Five-Year Worldwide Study" em *Christianity 9 to 5*, disponível em: <http://www.christianity9to5.org/distracted-from-god>. Acesso em: 27 de jun. de 2016.
3. Charles SWINDOLL, citado em *GoodReads*, disponível em: <http://www.goodreads.com/author/quotes/5139.Charles_R_Swindoll>. Acesso em: 27 de jun. de 2016.

Capítulo 11

1. *Strong's Concordance*, verbete grego 1577 *ecclesia*, disponível em: <http://biblesuite.com/greek/1577.htm>. Acesso em: 27 de jun. de 2016.
2. Ver Gênesis 23.9-10,17-18; Josué 20.4; Juízes 9.35; e Deuteronômio 21.19; 25.7.
3. *Strong's Concordance*, verbete grego 444 *anthropos*, disponível em: <http://biblesuite.com/greek/444.htm>. Acesso em: 27 de jun. de 2016.
4. Norte-americana (1820-1906) nascida em Adams, Massachusetts, que se notabilizou ao lutar pelo direito das mulheres em pleno século 19. (N. do T.)

Capítulo 12

1. Jennifer ROSENBERG, "Rosa Parks Refuses to Give Up Her Bus Seat", disponível em: <http://history1900s.about.com/od/1950s/qt/RosaParks.htm>; Facing History and Ourselves, "A Pivotal Moment in the Civil Rights Movement: The Murder of Emmett Till", disponível em: <http://www.facinghistory.org/resources/units/pivotal-moment-civil-rights-movement>; Christopher KLEIN, "10 Things You May Not Know About Rosa Parks", History.com, 4 de fev. de 2013, disponível em: <http://www.history.com/news/10-things-you-may-not-know-about-rosa-parks>; e "The Montgomery Bus Boycott: December 5, 1955–December

26, 1956", disponível em: <http://pittsfieldhs.ss3.sharpschool.com/common/pages/DisplayFile.aspx?itemId=7148495>. Acessos em: 27 de jun. de 2016.

Compartilhe suas impressões de leitura escrevendo para:
opiniao-do-leitor@mundocristao.com.br
Acesse nosso *site:* www.mundocristao.com.br

Equipe MC:	Daniel Faria (editor)
	Heda Lopes
	Natália Custódio
Diagramação:	Luciana Di Iorio
Preparação:	Luciana Chagas
Revisão:	Josemar de Souza Pinto
Gráfica:	Imprensa da Fé
Fonte:	Adobe Garamond Pro e Gill Sans
Papel:	Pólen Natural 70 g/m² (miolo)
	Cartão 250 g/m² (capa)